改訂版

小学校の総復習が7日間でできる本

実力テスト

英語　算数

社会　理科　国語

はさみなどで切りはなして使いましょう。けがをしないよう注意してゆっくりと切りはなしましょう。

くわしい使い方は開いてチェック!

3 次の(1)～(4)の絵の内容を示している英文を下のア～エから1つ選び，記号で答えなさい。

1つ5点【20点】

(1)

(　　　)

(2)

(　　　)

(3)

(　　　)

(4)

(　　　)

ア　I want a ruler.

イ　He is hungry.

ウ　I play tennis.

エ　Where is my bicycle?

4 次の(1)～(4)の絵の内容が示している英単語を選び，その英単語を ＿＿＿＿ に書いて，文章を完成させなさい。

1つ10点【40点】

(1)

I am ＿＿＿＿ .

(sad / happy)

(2)

Let's ＿＿＿＿ a book.

(play / read)

(3)

My pencil is ＿＿＿＿ .

(short / long)

(4)

I can ＿＿＿＿ well.

(write / sing)

英語 実力テスト

目標時間 2分

解答・解説 ▶P.001

／100

1 次の(1)～(4)の絵の内容が示している英単語を線で結びなさい。

1つ4点【16点】

(1)

(2)

(3)

(4)

chair　　scissors　　bus　　pencil case

2 次の(1)～(6)の絵の内容が示している英単語を下の□のア～キからそれぞれ選び，記号で答えなさい。（ただし，英単語は1つあまります）

1つ4点【24点】

(1)

(　　　)

(2)

(　　　)

(3)

(　　　)

(4)

(　　　)

(5)

(　　　)

(6)

(　　　)

ア　airplane	イ　wash	ウ　swimming	エ　strong
オ　sleepy	カ　volleyball	キ　kind	

実力テストの使い方

使い方① 最初に解いてみる！ オススメ

実力テストでは，この本で学習する内容のうち，**特に大切なところ**を選んで出題しています。

７日間の勉強をスタートする前に，**今の実力をチェック**してみましょう。

答え合わせをして…… 90点以上なら

その調子！
まちがえてしまったところを中心に，
本文で復習をするといいでしょう。

答え合わせをして…… 90点未満なら

じっくり本文で復習をしていきましょう。
７日間で集中して復習をすれば，
力がつきますよ。

使い方② 最後に解いてみる！

７日間，本文に取り組んだ**しあげ**として，**実力テストに挑戦**してみましょう。

90点以上が目標です。もし**90点未満**の教科があったら，**もう一度本文**にもどって，**まちがえた**ところを**おさらい**するといいでしょう。

算数 実力テスト

目標時間 15分

解答・解説 ▶P.001

／100

1 次の計算をしなさい。

1つ5点【30点】

(1) $130-(20-3\times6)$

(2) $3.4\times6-1.2\times0.1$

(3) $\frac{7}{10}\times\frac{8}{9}\times\frac{3}{7}$

(4) $1.2\div\frac{3}{4}$

(5) $\frac{3}{4}\times\frac{2}{5}-\frac{1}{3}\times\frac{2}{5}$

(6) $(\frac{2}{5}+1)\div0.7$

2 次の計算をしなさい。

1つ5点【15点】

(1) 時速80kmの電車は3時間で何km進むか。

(　　　　　)

(2) 2.8kmを7分間で進む自転車の分速は何mか。

(　　　　　)

(3) 秒速340mで進む音が，1190m伝わるのに何秒かかるか。

(　　　　　)

3 次の問いに答えなさい。

1つ5点【15点】

(1) 250gの水に30gのさとうを溶かす。水をもとにしたときの，さとうの重さの割合を求めなさい。

(　　　　　)

(2) あるクラスで，メガネをかけている人は2人いた。これは，クラス全体の人数の0.05倍である。クラス全体の人数は何人か。

(　　　　　)

(3) A,B,C,D,Eの中から学級委員を2人選ぶ。選び方は何通りあるか。

(　　　　　)

(2) 関ヶ原《せきがはら》の戦いに勝利し，征夷大将軍《せいいたいしょうぐん》となったのはだれか。次のア～エから1つ選び，記号で答えなさい。（　　）

ア　織田信長《おだのぶなが》　　イ　西郷隆盛《さいごうたかもり》
ウ　徳川家康《とくがわいえやす》　　エ　源《みなもとの》頼朝《よりとも》

(3) 江戸《えど》時代の学問や文化について述べた文として正しいものはどれか。次のア～エから1つ選び，記号で答えなさい。（　　）

ア　本居宣長《もとおりのりなが》が『解体新書《かいたいしんしょ》』を書いた。
イ　近松門左衛門《ちかまつもんざえもん》が「東海道五十三次《とうかいどうごじゅうさんつぎ》」をえがいた。
ウ　伊能忠敬《いのうただたか》が正確な日本地図をつくった。
エ　歌川広重《うたがわひろしげ》が『古事記伝《こじきでん》』を書いた。

(4) 1940年に日本が軍事同盟を結んだ国はどこか。次のア～エからすべて選び，記号で答えなさい。（　　）

ア　アメリカ　　イ　イタリア　　ウ　ドイツ　　エ　フランス

(5) 1972年にアメリカから返還《へんかん》された場所はどこか。次のア～エから1つ選び，記号で答えなさい。（　　）

ア　大阪　　イ　沖縄　　ウ　京都　　エ　北海道

3 公民について，次の問いに答えなさい。

1つ10点【40点】

(1) 日本国憲法《にほんこくけんぽう》の3つの原則とは，基本的人権《きほんてきじんけん》の尊重《そんちょう》，国民主権《こくみんしゅけん》とあともう1つは何か。（　　）

(2) 次のア～エのうち，日本国憲法《にほんこくけんぽう》に定められている天皇の仕事はどれか。1つ選び，記号で答えなさい。（　　）

ア　予算を決めること。　　イ　衆議院《しゅうぎいん》を解散すること。
ウ　税金《ぜいきん》を納《おさ》めること。　　エ　法律《ほうりつ》をつくること。

(3) 裁判所《さいばんしょ》には，政治や法律があるものに違反《いはん》していないかを調べるしくみがある。何に違反していないかを調べているか。（　　）

(4) 障《しょう》がいの有無などにかかわらず，だれもがふつうの生活を送ることができるという考え方を何というか。（　　）

社会 実力テスト

目標時間 5分

解答・解説 ▶P.002

／100

1 地理について，次の問いに答えなさい。

1つ6点【30点】 (5)は2つ完答で6点

(1) 日本の西のはしはどこか。次のア～エから1つ選び，記号で答えなさい。

ア 択捉島《えとろふとう》　イ 沖ノ鳥島《おきのとりしま》　ウ 南鳥島《みなみとりしま》　エ 与那国島《よなぐにじま》　（　　）

(2) 促成栽培《そくせいさいばい》とはどのような農業か。次のア～エから1つ選び，記号で答えなさい。

ア 牛などを飼育して，乳《ちち》などを生産する。　（　　）

イ あたたかい気候を生かして，出荷《しゅっか》の時期を早くする。

ウ 消費の多い都市に向け，野菜や花，果物などを栽培する。

エ すずしい気候を生かして，出荷の時期を遅《おそ》くする。

(3) 地元で生産された作物を，他の地域《ちいき》に出荷せずに地元で食べたり使ったりすることを何というか。

（　　　　　）

(4) 日本の工業地帯のうち，工業出荷額が最も高い工業地帯はどこか。

（　　　　工業地帯）

(5) 右の表は，2022年の日本の輸出額と輸入額を示したものである。2022年の日本の貿易収支《しゅうし》は，貿易赤字と貿易黒字のどちらか。また，輸出額と輸入額の差はいくらか。

表

輸出額	98兆1,736億円
輸入額	118兆5,032億円

出典：『日本国勢図会　2024/25年版』

貿易収支（　　　）　輸出額と輸入額の差（　　　　円）

2 歴史について，次の問いに答えなさい。

1つ6点【30点】

(1) 聖徳太子《しょうとくたいし》が行ったことはどれか。次のア～エから1つ選び，記号で答えなさい。

（　　）

ア 中国（隋《ずい》）に使節を送った。　イ 『源氏物語《げんじものがたり》』を書いた。

ウ 壇ノ浦《だんのうら》の戦いで平氏《へいし》をほろぼした。

エ 参勤交代《さんきんこうたい》の制度を定めた。

4 次の㋐～㋓の2つの量の関係について答えなさい。

完答で5点【10点】

㋐ 25個のお菓子を兄と弟で分けるときの，兄の分x個と弟の分y個

㋑ 1000円で買い物をするときの，代金x円とお釣りy円

㋒ 10kmの道のりを進むときの，時速$x$kmとかかる時間y時間

㋓ 正三角形の1辺の長さ$x$cmと周りの長さ$y$cm

(1) yがxに比例しているものはどれか。記号で答えなさい。またyをxの式で表しなさい。

記号（　　　　）　式（　　　　）

(2) yがxに反比例しているものはどれか。記号で答えなさい。またyをxの式で表しなさい。

記号（　　　　）　式（　　　　）

5 次の図形の面積や体積を求めなさい。

1つ5点【10点】

(1)

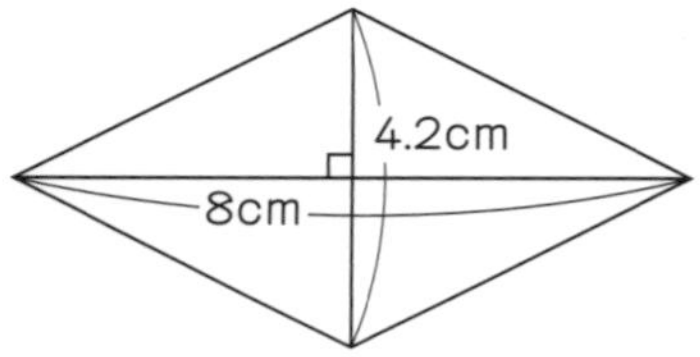

（　　　　）

(2)

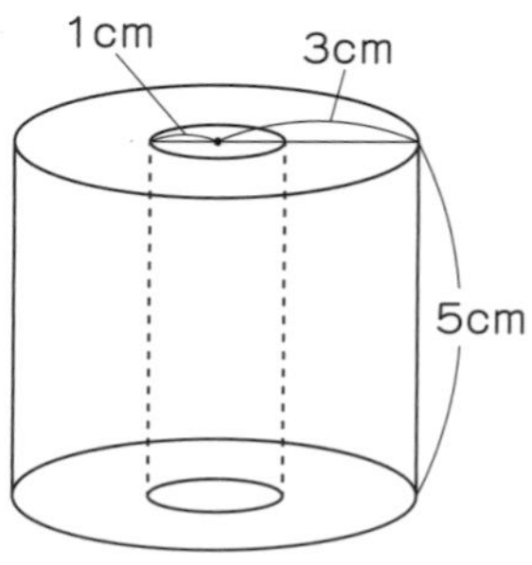

（　　　　）

6 次の表は、あるクラス20人の50m走のタイム（秒）を記録したものである。

1つ5点【20点】

① 7.2	② 8.5	③ 9.0	④ 9.2	⑤ 8.3	⑥ 8.4	⑦ 7.9	⑧ 8.0	⑨ 8.9	⑩ 8.1
⑪ 8.4	⑫ 8.7	⑬ 8.4	⑭ 9.1	⑮ 8.6	⑯ 9.1	⑰ 9.4	⑱ 8.2	⑲ 7.7	⑳ 8.9

(1) このクラスの一番大きい値と一番小さい値の差を求めなさい。

（　　　　）

(2) 平均値を求めなさい。

（　　　　）

(3) 中央値を求めなさい。

（　　　　）

(4) 最頻値を求めなさい。

（　　　　）

電流と電磁石について，次の問いに答えなさい。

1つ6点【24点】

1) 電流の流れる向きとして正しいのはどれか。次のア〜ウから1つ選び，記号で答えなさい。

ア　−極から+極　　イ　+極から−極　　ウ　決まっていない　　（　　）

2) 電気を通すものとして正しいものはどれか。次のア〜ウから1つ選び，記号で答えなさい。

ア　紙　　イ　アルミニウム　　ウ　ガラス　　（　　）

3) 乾電池2個を直列につなぐと，回路に流れる電流の大きさは，乾電池1個をつないだときと比べてどのようになるか。次のア〜ウから1つ選び，記号で答えなさい。　　（　　）

ア　大きくなる　　イ　小さくなる　　ウ　変わらない

4) 電磁石のコイルの巻き数を増やすと，電磁石の強さはどうなるか。次のア〜ウから1つ選び，記号で答えなさい。　　（　　）

ア　強くなる　　イ　弱くなる　　ウ　変わらない

流れる水のはたらきと大地の変化について，次の問いに答えなさい。

1つ7点【28点】

1) 流れる水が砂や小石を運ぶはたらきを何というか。

（　　）

2) 川の上流と下流を比べると，侵食のはたらきはどちらのほうが大きいか。

（　　）

3) つぶの大きさが大きい順に，次のア〜ウを並べかえ，記号で答えなさい。

ア　小石　　イ　どろ　　ウ　砂　　（　→　→　）

4) 小石や砂などのつぶが層のように重なってできたものを何というか。

（　　）

ハタクです。モンゴルは、青空の下に見渡す限りの草原が広がる国です。だから、広い草原で青く晴れた空の色を一年中見て生活するモンゴルの人たちにとって、①その色は特別な色なのです。もし、みなさんがモンゴルの知人の自宅にA招待されたとき、青い布が家の外に出ていても、それは洗たく物をBホすためではなく、あなたを熱烈《ねつれつ》に歓迎《かんげい》しているのです。

　アジアにあるチベットという地方では、初めて会う人に対して、②自分の舌をつき出して相手に見せます。これは日本の子どもがする「アカンベー」にそっくりです。[　　]、相手をバカにしてからかっているわけではありません。反対に相手をC敬い、なかよくしたいと伝えるしぐさなのです。チベットでは、昔から「悪《あく》魔《ま》の舌は黒い色をしている」という言い伝えがあり、悪魔が生まれ変わった人間は黒い舌をしていると信じられ、恐《おそ》れています。だから、チベットの人たちは自分の舌が黒くないことを相手に見せて自分が悪魔ではないことを示すのです。それがだんだんと正式な挨拶として定着していきました。

　世界には、私たちが知らない挨拶の習慣がたくさん存在します。しかし、それらはどれも長いDレキシの中で、きちんとした理由にもとづいてできたものなのです。相手の国や民族のことを正しく知ろうとするのは、とても大切なことだと言えるでしょう。

次の空らんにあてはまるように十三字でぬき出しなさい。

「こんにちは」「いらっしゃい」などの言葉とともに、[　　　　　　　　　　　　　]する。

5点

(3) ——線①「その色」は何を指しているか。八字でぬき出しなさい。

[　　　　　　　　]

5点

(4) ——線②「自分の舌をつき出して相手に見せます」とあるが、その理由は何か。あてはまるものを一つ選びなさい。

ア　相手をバカにしてからかってやるため。

イ　相手に自分の舌の色をわからせるため。

ウ　相手が悪魔でないことを確認するため。

（　　）

5点

(5) [　]にあてはまる言葉を一つ選びなさい。

ア でも　イ だから　ウ それとも

（　　）

10点

(6) 世界の変わった挨拶について具体的に書かれている段落の番号を、すべて漢数字で書きなさい。

第[　　　　]段落

10点

国語 実力テスト

目標時間 5分

解答・解説 ▶P.003

／100

1 ―線の言葉に合う漢字を書きなさい。

1つ5点【45点】

(1) 一度きりのケイケンをする。 （　　）

(2) 他者の意見をヒハンする。 （　　）

(3) ユウビンキョクへ行く。 （　　）

(4) 事実かどうか、ギネンをいだく。 （　　）

(5) 重さをハカる。 （　　）

(6) 学級委員をツトめる。 （　　）

(7) 将来についてナヤむ。 （　　）

(8) 三歩うしろへシリゾく。 （　　）

(9) 姉から本をカりる。 （　　）

2 次の文章を読んで問題に答えなさい。

私たち日本人は、家にお客さんが来たりしたときに、頭を下げたりこしを曲げたりしながら、「こんにちは」「いらっしゃい」と言って相手を出迎《でむか》えます。他の人と生活していくために欠かせない挨拶《あいさつ》ですが、世界には変わった挨拶がたくさんあります。

モンゴルという国では、結婚式《けっこんしき》などの特別な日に「ハタク」と呼ばれる神聖な布を家の玄関《げんかん》に飾《かざ》ってお客さんを迎えます。ハタクには、いくつかの種類がありますが、よく使っているのは青色の

(1) ―線A「招待」、―線C「敬い」は言葉に合う読みをひらがなで、―線B「ホす」、―線D「レキシ」は言葉に合う漢字をそれぞれ書きなさい。

1つ5点【20点】

A （　　）

B （　　）す

C （　　）い

D （　　）

理科 実力テスト

目標時間 3分
解答・解説 ▶P.002

／100

1 人の体について，次の問いに答えなさい。

1つ6点【30点】

(1) 右の図はヒトのうでのつくりを表している。
Aはさわるとやわらかく，Bは骨と骨のつなぎ目の部分である。それぞれ何というか。

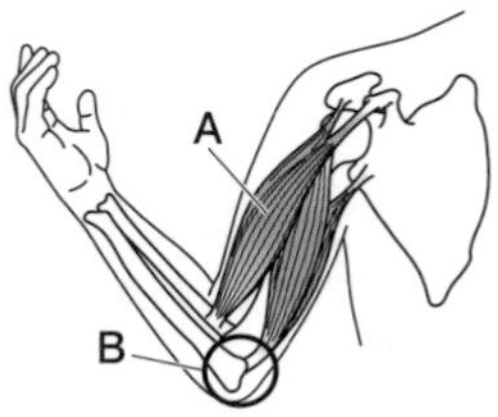

A（　　　　）　B（　　　　）

(2) 食べ物が分解され，体にとり入れられやすいものに変えられることを何というか。

（　　　　）

(3) 肝臓のはたらきとして正しいものはどれか。次のア～ウから1つ選び，記号で答えなさい。

（　　）

ア　血液を全身に送り出す。
イ　吸収した養分の一部をたくわえる。
ウ　血液中の不要物をこしとる。

(4) 人が吸う空気とはいた空気では，どちらのほうが二酸化炭素が多くふくまれているか。

（　　　　　　　　）

2 ものの溶け方について，次の問いに答えなさい。

1つ6点【18点】

(1) ある重さの食塩を100gの水にすべて溶かしたところ，食塩水が120gできた。水に溶かした食塩は何gか。

（　　　　）

(2) 食塩とミョウバンをそれぞれ水に溶けるだけ溶かした。できた水溶液の温度を下げたとき，溶けたものがほとんど出てこないのは，食塩とミョウバンのどちらか。

（　　　　　）

(3) 青色のリトマス紙を赤色に変化させる水溶液は次のうちどれか。すべて選び，記号で答えなさい。

（　　　　）

ア　食塩水　　イ　炭酸水
ウ　うすいアンモニア水　　エ　うすい塩酸　　オ　重そう水

小学校の総復習が7日間でできる本

改訂版

監修
陰山英男
陰山ラボ代表・教育クリエイター

KADOKAWA

はじめに

山に登るとき，登山口から山頂を見上げると，それはとてつもなく遠いところにあるように感じられるものです。また，登山の途中《とちゅう》には緩《ゆる》やかなところもあれば急な坂道を登っていかなければいけないところもあります。

すると，山頂がどこかを意識する余裕《よゆう》はなくなり，ただ目の前の坂道をひたすら登ることに集中してしまいます。そして，全体の８割以上登ったところまで来れば，山頂が間近に見え，一気に駆《か》け上がる力がまた生まれてきたりします。

しかし，最も重要なのは山頂まで登り切ったとき，登ってきた道を振《ふ》り返ってみることです。あれほど遠いと感じていた山頂が，それなりの苦労はありながらも意外と近いところにあったんだと感じられるでしょう。そして，その途中の難所を思い浮《う》かべながら，あそこをもう少し上手に登っていたらもっと楽だったかもしれないと，思ったりするものです。

小学校の最終段階で，学習してきたことをもう一度最初から見通して復習するというのはそこに目的があります。小学校に入学するときや，新年度が始まるときは，１年間や６年間の学習がとてつもなく大きなもののように感じるものですが，振り返って見てみると，難所は決まったところであり，そこさえ押《お》さえれば効果的に学習を進められるとわかるでしょう。これを中学校の入学前にしておくことは，中学校の学習を進めるために決定的に重要です。簡単に言えば，小学校で悩《なや》んだところこそが，中学校の学習の重要なポイントにつながるのです。

●　●

私は，小学校４年生までを純粋《じゅんすい》な小学校の学習期間，５・６年生は４年生までの学習を生かして中学校の学習をより楽にする準備期間と位置付けてきました。そのため，小学校高学年の学習を進める際は中学校の先生の助言を精いっぱい聞き，指導の中に取り込《こ》んできたのです。

例えば，小学校の国語の授業では物語文の登場人物の心情理解に時間をかけますが，中学校の国語の先生は「それよりも確実に漢字の読み書きができるようにしておいてほしい。なぜなら中学生の学習の根本的な難しさは教科書が読めないことだから」，とおっしゃいました。

算数についても，文章題を解くことは小学校においては重要ですが，中学校の数学の先生は「同じような問題を中学校では方程式で解いてしまうので，重要なのは計算がさっとできること」とおっしゃいます。一方で，中学校の理科の先生は「液体を混ぜる際の濃度《のうど》の問題に関して，比例や割合の問題は徹底《てってい》してできるようにしておいてほしい」，そうおっしゃいます。

社会においても，中学校の教科書は小学校で出てきた言葉がわかっているものとして教材が作られていますから，専門的な社会科用語でも基本的なことは理解し，覚えていなければいけないのです。社会の授業は暗記ではない，ということが理想論として語られますが，中学校ではその暗記ができておらず授業ではただボーっとしているだけ，という生徒は多くいます。

さらに，今は小学校でも英語の指導がなされ，それが土台となって中学校の英語学習が始まっていくようになっています。ところが，この小学校の英語で問題なのは，各学校によりその指導のレベルに違《ちが》いがあり，中学校の英語を学習するときのスタートが切りやすい学校とそうでない学校に分かれているのです。ただレベルの高い指導をしていればいいというものでもありません。なぜなら指導のレベルを上げてしまうと，ついていけないがゆえに，英語に苦手意識を持ってしまう子どもたちもいるからです。こうした観点では，英語も他の教科と同様，中学校の学習で困らない，基《き》礎《そ》を固めておくことが重要になってきているのです。

この本で最も重視したのは，中学校で学習するうえで最も重要なテーマから入れていったことです。中学校の学習をするのにふさわしいものを選ぶことを，第一に考えています。

国語の文章の読み取りで最も大切なのは，一つ一つの言葉の意味を適切に理解することです。日本語の場合はその重要なものが漢字によって構成されています。また，四字熟語のように独特の言葉の使われ方が，意味理解において重要になることがあります。他に，事実関係を把握《はあく》する説明文と，人間の感情を読み解く物語文とではその読み解いていく構えが違っており，こうした基礎と読み取りの違いを念頭に教材が構成されています。

算数で重要なのは，まず計算が正確に速くできることです。次に面積の求め方のような公式も重要です。これらを単に暗記するだけではなく，適切に活用していく力が必要です。公式をきちんと覚えるのと同時に，適切に使えるということが重要です。

そして，最も重要なのは，分数や割合の考え方です。これらは比例の考え方が土台となっており，実際の数とそれらを割合に表す２種類の数の表現になっており，小学生が最も苦手とすると同時に，中学校では最も必要な力となってきます。速さ・時間・距離《きょり》とあわせて，割合や分数計算など的確に解いていく力が身につけられるように，この本は構成されています。

社会については，産業や現代社会に対する理解が必要です。また，６年生で習う歴史は中学校での歴史学習の基礎となっており，これも完全に理解し，なおかつ覚えておかなければなりません。これらの社会科の知識は，小学校で習っていない漢字なども使われながら，社会科独特の用い方をします。意味をしっかりと理解しておくことが，社会科学習全体の理解を促《うなが》すことにつながっていきます。

理科については覚えておくことがそれほど多くはなく，また，言葉としても膨大《ぼうだい》な数を覚えなければならないこともありません。しかし，中学校の理科は，小学校で学習した内容が前提となり，自然の中の法則や原理につながってくるので，小学校の内容をしっかりと記憶《きおく》しておかなければなりません。この本では，そうした内容を絞《しぼ》って課題としています。

英語については，中学校での本格的な学習を前提として，重要な英単語の意味理解を確かなものにし，できれば暗記しておくことが，中学校での英語学習をスムーズにスタートできることにつながってくるでしょう。

学習は多くの時間をかけるということがいいのではありません。むしろ多くの内容をより短時間に効果的に学習していくことが大事です。「効率的な学習が最も効果的にできるよう」この本は構成されています。どうかみなさん，最大限この本を活用してください。

監修《かんしゅう》　陰山《かげやま》　英男《ひでお》

contents

この本の進め方

この本の DAY 6・DAY 7 では，国語を復習します。この 2 つは，本の**後ろから前に**進んでいきます。DAY 6 に取り組むときは，**P127** を開いて進めましょう。

この本の特長と使い方

この本の特長

1　中学校でつまずかないためのくふうがいっぱい

2　7日間でやりきれるから，すぐにおさらいができる

3「中学校のさきどり」で，リードし続けるポイントを伝授

この本の使い方

①「目標時間」は，その単元に取り組む目安を示しています。
この時間内に解き終えられるように進めてみましょう。

②「復習ポイント」では，しっかりと押《お》さえておくべき内容を示しています。
この「復習ポイント」を読んでから，問題に取り組みましょう。

③ 学年のマークは，その問題で復習することを，
小学校のどの学年で習ったかを示しています。

④「中学校のさきどり」では，小学校で学んだこと・中学校でこれから学ぶことを踏《ふ》まえて，
同級生から一歩リードするための切り口・知識を伝授します。

⑤「テスト」では，各DAYで学んだことをおもに確認します。テストの目標時間は通常よりも短く，
さっと解けてほしい時間にしています。なお，2科目を学ぶDAY 1では，算数を復習します。

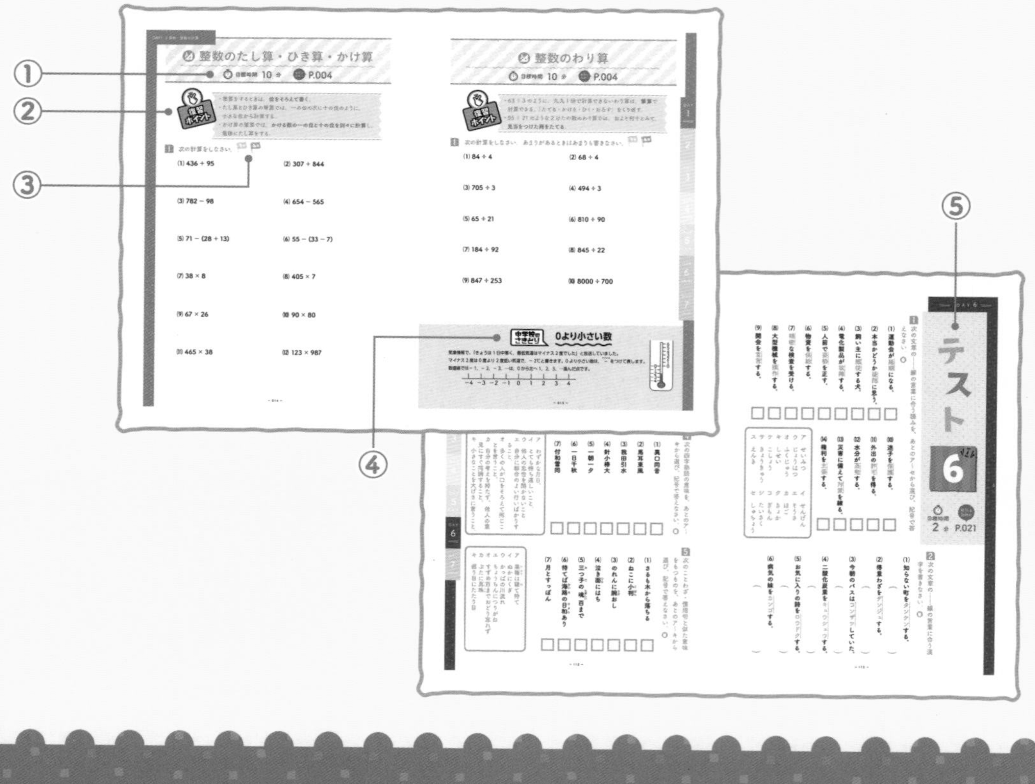

巻頭の「実力テスト」・別冊の「解答・解説」も

巻頭とじこみの「実力テスト」で重要な単元の力だめしができます。いちばん初めに取り組むのがおすすめです。くわしい使い方は「実力テスト」の表紙にあります。

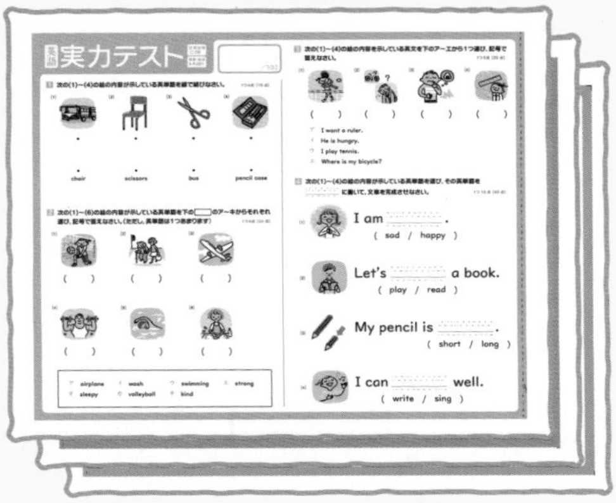

巻末に付属の別冊「解答・解説」で答え合わせをしましょう。解説まで読むことで理解が深まります。

音声ダウンロードの方法

この本の問題で出題されている英語の音声を聞くことができます。正しい発音をたしかめるのにぜひ役立ててください。

パソコンでダウンロードする方法

https://kdq.jp/sofukusyu

ユーザー名 sofukusyu　　パスワード m6tgh9-a

上記のURLへアクセスいただくと，データを無料ダウンロードできます。
「ダウンロードはこちら」という一文をクリックして，ユーザー名とパスワードをご入力のうえダウンロードし，ご利用ください。

【注意事項】

- ダウンロードはパソコンからのみとなります。携帯電話・スマートフォン・タブレット端末からのダウンロードはできません。
- 音声は mp3 形式で保存されています。お聴きいただくには，mp3 を再生できる環境が必要です。
- ダウンロードページへのアクセスがうまくいかない場合は，お使いのブラウザが最新であるかどうかご確認ください。また，ダウンロードする前に，パソコンに十分な空き容量があることをご確認ください。
- フォルダは圧縮されていますので，解凍したうえでご利用ください。
- 音声はパソコンでの再生を推奨します。もしくは携帯音楽プレイヤーやスマートフォンなどに取り込んでご利用ください。一部ポータブルプレイヤーにデータを転送できない場合もございます。
- なお，本サービスは予告なく終了する場合がございます。あらかじめご了承ください。

スマートフォンで聞く方法

abceed アプリ（無料）

https://www.abceed.com/

上記のURLまたは2次元コードより，
スマートフォンにabceedアプリ（無料）を
ダウンロードし，「教材」タブから
書名を検索してご利用ください。

- 再生方法は「abceed」サイトよりご確認ください。
- abceedは株式会社Globeeのサービスです。
（2024年8月時点）

〈STAFF〉
カバーデザイン：喜來　詩織（エントツ）／本文デザイン：佐藤　雄太（AFTERGLOW）／カバーイラスト：けーしん／
イラスト・図版：ツダタバサ、（株）アート工房、（有）熊アート／音声：（財）英語教育協議会 ELEC、桑島　三幸／
執筆協力：（株）群企画、望月　朋子、（合）エデュ・プラニング／ DTP：（株）フォレスト

英単語の復習①

目標時間 10 分　解答は別冊の P.004

復習ポイント

・英単語のうち，文房具，身の回りのもの，スポーツの名前を復習する。

1 (1)～(12)の絵の内容が示している英単語を，次のア～シからそれぞれ選び，記号で答えなさい。

(1)  (　　　　)

(2)  (　　　　)

(3)  (　　　　)

(4)  (　　　　)

(5)  (　　　　)

(6)  (　　　　)

(7)  (　　　　)

(8)  (　　　　)

(9)  (　　　　)

(10)  (　　　　)

(11)  (　　　　)

(12)  (　　　　)

ア　ruler　イ　desk　ウ　bag　エ　pen　オ　ink
カ　pencil　キ　chair　ク　scissors　ケ　notebook
コ　book　サ　eraser　シ　pencil case

2 (1)～(8)の絵の内容が示している英単語を，次のア～クからそれぞれ選び，記号で答えなさい。

(1)  (　　　　)

(2)  (　　　　)

(3)  (　　　　)

(4)  (　　　　)

(5)  (　　　　)

(6)  (　　　　)

(7)  (　　　　)

(8)  (　　　　)

ア　tennis	イ　volleyball	ウ　soccer	エ　surfing
オ　badminton	カ　swimming	キ　rugby	ク　table tennis

3 絵に合うように（　）から英単語を選び，＿に書いて文を完成させなさい。

I like ＿＿＿＿＿＿＿＿＿＿＿＿＿＿.

（　baseball / basketball　）

中学校のさきどり　品詞の概念《がいねん》・名詞

名詞とは，物事の名前を表す語のことです。たとえば，次のような語があります。

形のある物の名前…………book（本），desk（机），pencil（えんぴつ）

一定の形のない物の名前…coffee（コーヒー），tea（紅茶），soccer（サッカー）

特定のものの名前…………January（1月），Monday（月曜日），Japan（日本）

月・曜日・地名などの特定のものを表す名詞は，最初の文字を大文字にします。

英単語の復習②

目標時間 10 分　　解答は別冊の P.004

復習ポイント

・英単語のうち，ものの状態を表す単語，乗り物の名前を復習する。

1 (1)～(12)の絵の内容が示している英単語を，次のア～シからそれぞれ選び，記号で答えなさい。

(1)  (　　　　)

(2)  (　　　　)

(3)  (　　　　)

(4)  (　　　　)

(5)  (　　　　)

(6)  (　　　　)

(7)  (　　　　)

(8)  (　　　　)

(9)  (　　　　)

(10)  (　　　　)

(11)  (　　　　)

(12)  (　　　　)

ア strong　イ old　ウ long　エ small　オ hot
カ weak　キ big　ク cold　ケ soft　コ short
サ new　シ hard

2 (1)～(8)の絵の内容が示している英単語を，次のア～クからそれぞれ選び，記号で答えなさい。

(1)  (　　　　)

(2)  (　　　　)

(3)  (　　　　)

(4)  (　　　　)

(5) 

(　　　　)

(6)  (　　　　)

(7)  (　　　　)

(8)  (　　　　)

ア　airplane	イ　bus	ウ　taxi	エ　train	オ　ship
カ　yacht	キ　spaceship	ク　motorcycle		

3 絵に合うように(　)から英単語を選び，＿に書いて文を完成させなさい。

Where is your ＿＿＿＿＿＿＿＿?

(car / bicycle)

中学校のさきどり

品詞の概念《がいねん》・形容詞

形容詞…名詞を説明する語。例：big（大きい），new（新しい）

名詞の前に形容詞をおくと，名詞をくわしく説明することができます。

英語	日本語
new bicycle	新しい 自転車
big car	大きい 自動車

■の語…形容詞，■の語…名詞

英単語の復習③

目標時間 10 分 解答は別冊の P.004

復習ポイント

・英単語のうち，動作や状態を表す単語，気持ちや状態を表す単語を復習する。

1 (1)～(12)の絵の内容が示している英単語を，次のア～シからそれぞれ選び，記号で答えなさい。

(1)  (　　　　　)

(2)  (　　　　　)

(3)  (　　　　　)

(4)  (　　　　　)

(5)  (　　　　　)

(6)  (　　　　　)

(7)  (　　　　　)

(8)  (　　　　　)

(9) 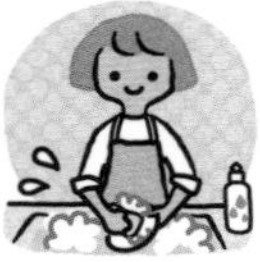 (　　　　　)

(10)  (　　　　　)

(11)  (　　　　　)

(12)  (　　　　　)

ア study　イ read　ウ drink　エ write　オ want
カ like　キ play　ク eat　ケ buy　コ make
サ wash　シ sing

2 (1)～(8)の絵の内容が示している英単語を，次のア～クからそれぞれ選び，記号で答えなさい。

(1)  (　　　)

(2)  (　　　)

(3)  (　　　)

(4)  (　　　)

(5)  (　　　)

(6)  (　　　)

(7)  (　　　)

(8)  (　　　)

ア thirsty　イ sleepy　ウ fine　エ hungry　オ tired
カ kind　キ scary　ク angry

3 絵に合うように（　）から英単語を選び，＿＿に書いて文を完成させなさい。

She is ＿＿＿＿＿＿＿＿.

(sad / happy)

中学校のさきどり　品詞の概念《がいねん》・動詞

動詞…動作や状態を表す語。　状態を表す動詞の例：like（～が好きである），have（持っている，飼っている）
動作を表す動詞の例：play（～をする），study（～を勉強する）

like や play の後ろに名詞をおいて文をつくることができます。

I like soccer.　わたしはサッカーが好きです。　※I は「わたしは」という意味です。

I play soccer.　わたしはサッカーをします。　■の語…動詞，■の語…名詞

整数のたし算・ひき算・かけ算

目標時間 10 分　解答は別冊の P.004

復習ポイント

・筆算をするときは，位をそろえて書く。
・たし算とひき算の筆算では，一の位の次に十の位のように，小さな位から計算する。
・かけ算の筆算では，かける数の一の位と十の位を別々に計算し，最後にたし算をする。

1 次の計算をしなさい。 3年 4年

(1) 436 ＋ 95

(2) 307 ＋ 844

(3) 782 － 98

(4) 654 － 565

(5) 71 －（28 ＋ 13）

(6) 55 －（33 － 7）

(7) 38 × 8

(8) 405 × 7

(9) 67 × 26

(10) 90 × 80

(11) 465 × 38

(12) 123 × 987

整数のわり算

目標時間 10 分　解答は別冊の P.004

復習ポイント

・63 ÷ 3 のように，九九 1 回で計算できないわり算は，筆算で計算できる。「たてる・かける・ひく・おろす」をくり返す。
・85 ÷ 21 のような 2 けたの数のわり算では，およそ何十とみて，見当をつけた商をたてる。

1 次の計算をしなさい。あまりがあるときはあまりも書きなさい。 3年 4年

(1) 84 ÷ 4

(2) 68 ÷ 4

(3) 705 ÷ 3

(4) 494 ÷ 3

(5) 65 ÷ 21

(6) 810 ÷ 90

(7) 184 ÷ 92

(8) 845 ÷ 22

(9) 847 ÷ 253

(10) 8000 ÷ 700

DAY 1
DAY 2
DAY 3
DAY 4
DAY 5
DAY 6
DAY 7

中学校のさきどり　0より小さい数

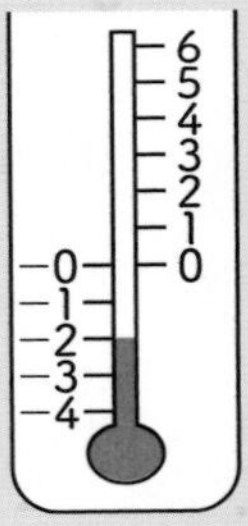

気象情報で，「きょうは 1 日中寒く，最低気温はマイナス 2 度でした」と放送していました。
マイナス 2 度は 0 度より 2 度低い気温で，− 2℃と書きます。0 より小さい数は，−《マイナス》をつけて表します。
数直線では− 1，− 2，− 3，…は，0 から左へ 1，2，3，…進んだ点です。

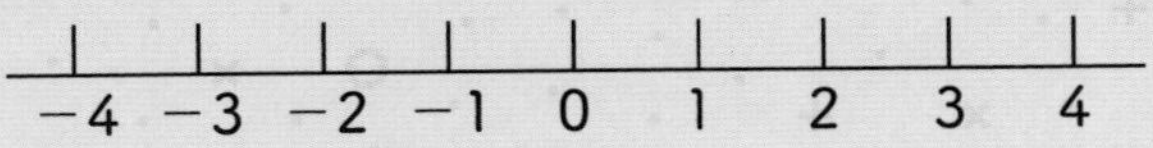

小数のたし算・ひき算・かけ算

目標時間 10 分　解答は別冊の P.004

復習ポイント

・たし算とひき算の筆算では，小数点の位置を見て，位をそろえて計算する。
・かけ算の筆算では，整数と同じように右にそろえて書く。
1.4 × 0.3 は，14 × 3 と同じように計算し，小数点以下の数（2こ）分，答えを後ろから数え，小数点をうつ。

1 次の計算をしなさい。 4年 5年

(1) 3.4 ＋ 6.8

(2) 4.7 － 2.8

(3) 14 ＋ 8.1

(4) 3 － 1.9

(5) 0.7 ＋ 2.651

(6) 16.5 － 7.6

(7) 17.4 ＋ 2.6

(8) 41.3 － 3.141

(9) 2.4 × 3.6

(10) 0.3 × 0.3

(11) 9.5 × 3.8

(12) 0.8 × 0.34

小数のわり算

目標時間 10 分　解答は別冊の P.005

復習ポイント

・45 ÷ 1.5 のように，÷小数の筆算では，わる小数を 10 倍，100 倍…して，整数にし，わられる数もおなじだけ 10 倍，100 倍…してから，450 ÷ 15 のように，÷整数の形で計算する。
・あまりがあるときは，もとの小数点の位置で表す。

1 わり切れるまで計算しなさい。 5年

(1) 75 ÷ 1.5　　(2) 2.24 ÷ 1.6

(3) 45.6 ÷ 7.6　　(4) 6.56 ÷ 8.2

(5) 3.5 ÷ 2.8　　(6) 1.56 ÷ 4.8

2 商を$\frac{1}{10}$の位まで求めて，あまりを書きなさい。 5年

(1) 5.9 ÷ 9　　(2) 5.1 ÷ 2.3

(3) 0.4 ÷ 0.3　　(4) 4 ÷ 6.4

3 次の商を，四捨五入で，$\frac{1}{10}$の位までの概数で表しましょう。 5年

(1) 35 ÷ 6.3　　(2) 0.25 ÷ 1.8

約数・倍数

目標時間 10 分　解答は別冊の P.005

復習ポイント

・ある数をわりきる数を，その数の約数という。
・ある数に整数をかけてできる数を，その数の倍数という。

1 次の問いに答えなさい。 5年

(1) 8 の約数を全部書きなさい。 (　　　　　)

(2) 12 の約数を全部書きなさい。 (　　　　　)

(3) 7 の約数を全部書きなさい。 (　　　　　)

(4) 11 の約数を全部書きなさい。 (　　　　　)

(5) 18 の約数を全部書きなさい。 (　　　　　)

(6) 3 の倍数を小さいほうから順に 3 つ書きなさい。 (　　　　　)

(7) 8 の倍数を小さいほうから順に 3 つ書きなさい。 (　　　　　)

(8) 11 の倍数を小さいほうから順に 4 つ書きなさい。 (　　　　　)

中学校のさきどり　素数《そすう》

7，13 のように，1 とその数自身しか約数がない数を素数といいます。
たとえば，1 から 20 までの素数は，

2，3，5，7，11，13，17，19

です。1 は素数にはふくまれません。

公約数と約分・公倍数と通分

目標時間 10 分

解答は別冊の P.005

復習ポイント

- 2 つ以上の数に共通な約数を**公約数**といい，一番大きい公約数を**最大公約数**という。
- 2 つ以上の数に共通な倍数を**公倍数**といい，一番小さい公倍数を**最小公倍数**という。
- $\frac{12}{18}$の分数の分母と分子を最大公約数の 6 でわって$\frac{2}{3}$とするような，分母を最も小さい分数にすることを**約分**するという。
- $\frac{1}{5}+\frac{1}{3}$のように分母が異なる分数のたし算やひき算で，$\frac{3}{15}+\frac{5}{15}$のように分母の最小公倍数の 15 で分母をそろえるのを**通分**するという。

1 次の［　］の中の数の公約数を全部書きなさい。また，最大公約数を答えなさい。 5年

(1)［12，18］　公約数（　　　　）　最大公約数（　　　）

(2)［16，20］　公約数（　　　　）　最大公約数（　　　）

2 次の［　］の中の数の公倍数を小さいほうから順に 3 つ書きなさい。また，最小公倍数を答えなさい。 5年

(1)［3，4］　公倍数（　　　　）　最小公倍数（　　　）

(2)［6，18］　公倍数（　　　　）　最小公倍数（　　　）

3 次の分数を約分しなさい。 5年

(1) $\frac{3}{9}$（　　）　(2) $\frac{12}{16}$（　　）　(3) $\frac{18}{24}$（　　）　(4) $\frac{12}{15}$（　　）

4 次の［　］の中の分数を通分しなさい。 5年

(1)［$\frac{1}{3}$，$\frac{1}{4}$］（　　　　）　(2)［$\frac{1}{2}$，$\frac{5}{4}$］（　　　　）

(3)［$\frac{2}{3}$，$\frac{1}{5}$］（　　　　）　(4)［$\frac{1}{2}$，$\frac{1}{3}$，$\frac{3}{4}$］（　　　　）

分数のたし算・ひき算

目標時間　10 分

解答は別冊の P.005

復習ポイント

- 分母が異なるときは，**通分**してから計算する。
- 計算した答えが約分できるときは，**約分**しておく。

1　次の計算をしなさい。　4年　5年

(1) $\frac{2}{7}+\frac{3}{7}$

(2) $\frac{3}{5}-\frac{2}{5}$

(3) $\frac{2}{3}+\frac{1}{7}$

(4) $1\frac{1}{3}-\frac{3}{5}$

(5) $\frac{3}{4}+\frac{2}{3}$

(6) $1-\frac{3}{7}$

(7) $\frac{4}{15}+\frac{2}{5}$

(8) $\frac{9}{10}-\frac{2}{5}$

(9) $\frac{7}{10}+\frac{2}{15}$

(10) $3\frac{2}{9}-2\frac{1}{2}$

2　次の計算をしなさい。　5年

(1) $\frac{2}{15}+\frac{1}{2}+\frac{2}{3}$

(2) $\frac{1}{3}+\frac{1}{4}+\frac{5}{12}$

分数のかけ算・わり算

目標時間 10 分

解答は別冊の P.005

復習ポイント

- 分数のかけ算は，分子同士，分母同士をかけ合わせる。
- 分数のわり算は，わる数を逆数にしてからかけ合わせる。
- 計算した答えが約分できるときは，約分しておく。

1 次の計算をしなさい。 6年

(1) $\frac{2}{5} \times 2$

(2) $\frac{4}{7} \div 4$

(3) $\frac{3}{8} \times \frac{2}{7}$

(4) $\frac{7}{4} \div \frac{21}{2}$

(5) $\frac{3}{10} \times \frac{5}{6}$

(6) $\frac{4}{9} \div \frac{2}{3}$

(7) $\frac{7}{12} \times \frac{4}{21}$

(8) $8 \div \frac{3}{5}$

(9) $\frac{1}{3} \times \frac{2}{7} \times \frac{9}{4}$

(10) $\frac{3}{4} \div \frac{3}{5} \times \frac{8}{5}$

(11) $\frac{5}{8} \div \frac{7}{3} \div \frac{5}{16}$

(12) $\frac{7}{12} \times \frac{4}{21} \div \frac{3}{5}$

いろいろな計算の順序

目標時間 10 分 解答は別冊の P.006

復習ポイント

- たし算・ひき算と，かけ算・わり算が混ざった計算では，かけ算・わり算から先に計算する。
- （　　）がある場合は，（　　）の中から先に計算する。

交換の法則…○＋△＝△＋○，○×△＝△×○

- たし算とかけ算では，数を入れ替えて計算しても答えは同じになる。

分配の法則…(○＋△)×□＝○×□＋△×□
○×(△＋□)＝○×△＋○×□
(○－△)×□＝○×□－△×□
○×(△－□)＝○×△－○×□

- （　　）の中がたし算・ひき算で，（　）の答えをかけ算するとき，式を変えることができる。

結合の法則…(○＋△)＋□＝○＋(△＋□)
(○×△)×□＝○×(△×□)

- 3こ以上の数を全てたし算だけしたり，かけ算だけしたりするときは，式のどこから計算しても答えは同じになる。

1 次の計算をしなさい。 4年 5年 6年

(1) $72 - 6 \times 8$

(2) $(78 - 2 \times 35) \times 11$

(3) $2.7 \times 5 - 1.4 \times 0.1$

(4) $\left(\frac{5}{6} + \frac{1}{3}\right) \times \frac{3}{13}$

2 計算のきまりを使い，くふうして計算しなさい。 4年 5年 6年

(1) $207 + 591 + 118 + 793 + 409$

(2) $3.6 \times 0.4 \times 2.5$

(3) $13 \times 13 + 7 \times 13$

(4) $\left(\frac{5}{6} + \frac{5}{9}\right) \div \frac{5}{18}$

分数と小数の混ざった計算

目標時間 10 分　解答は別冊の P.006

復習ポイント

- 小数を分数に直してから，分数同士の計算をする。

$$0.24 + \frac{3}{5} = \frac{24}{100} + \frac{3}{5} = \frac{6}{25} + \frac{15}{25} = \frac{21}{25}$$

- 簡単に計算できそうな場合は，分数を小数に直して計算してもいい。

$$0.13 + \frac{1}{4} = 0.13 + 0.25 = 0.38$$

1 次の計算をしなさい。 5年 6年

(1) $\frac{5}{6} + 0.6$

(2) $0.9 - \frac{7}{9}$

(3) $0.1 \times \frac{1}{4}$

(4) $1.6 \div \frac{12}{11}$

(5) $1 - \frac{2}{3} \times 0.6$

(6) $\left(\frac{3}{5} + 2\right) \div 1.3$

(7) $1\frac{1}{3} - 0.25 \times \frac{3}{2}$

(8) $3.3 \times \frac{5}{6} + 6.7 \times \frac{5}{6}$

中学校のさきどり　累乗《るいじょう》

同じ数をいくつかかけたものを，その数の累乗といい，次のように書きます。

3 × 3　　は 3^2 と表して，3 の 2 乗

5 × 5 × 5 は 5^3 と表して，5 の 3 乗

3^2 ←指数

また，右上に小さく書いた数を指数《しすう》といいます。

5^3 スッキリ

重さ・液量（かさ）

目標時間 10 分 解答は別冊の P.006

復習ポイント

- 物や人の重さは，g，kg，t で表す。1円玉1つ分の重さが1g で，その 1000 倍の重さが 1kg で，さらにその 1000 倍の重さが 1t になる。さらに，1mg の 1000 倍が 1g となる。
- 液体（水など）のかさ（多さ）は，L，dL，mLで表す。1L は 1dL の 10 倍，1mL の 1000 倍になる。1dL は 1mL の 100 倍になる。

1 次の □ の中にあてはまる数を書きなさい。 2年 6年

(1) 12 kg = □ g

(2) 3200g = □ kg

(3) 1.5g = □ mg

(4) 2t = □ kg

(5) 6L = □ dL

(6) 200dL = □ L

(7) 700mL = □ dL

(8) 5100L = □ kL

2 次の問いに答えなさい。 2年 6年

(1) 25mg の 1000 倍は何 g ですか。 (　　　　)

(2) 8.4kg の $\frac{1}{10}$ は何 g ですか。 (　　　　)

(3) 650g の 100 倍は何 kg ですか。 (　　　　)

(4) 330kg の 100 倍は何 t ですか。 (　　　　)

(5) 70mL の 1000 倍は何 L ですか。 (　　　　)

(6) 9kL の $\frac{1}{1000}$ は何 L ですか。 (　　　　)

長さ・面積・体積

目標時間 10 分　解答は別冊の P.006

復習ポイント

●長さ・面積・体積の換算表

長さ	10mm = 1cm	100cm = 1m	1000m = 1km
面積	$100mm^2$ = $1cm^2$	$10000cm^2$ = $1m^2$	$1000000m^2$ = $1km^2$
	1a = $100m^2$	1ha = 100a	100ha = $1km^2$
体積	$1000mm^3$ = $1cm^3$	$1000000cm^3$ = $1m^3$	$1000000000m^3$ = $1km^3$

1 次の □ の中にあてはまる数を書きなさい。 2年 3年 4年

(1) 3m = □ cm

(2) 4.1km = □ m

(3) $60000cm^2$ = □ m^2

(4) 500a = □ m^2

(5) 0.8ha = □ a

(6) $300000m^2$ = □ km^2

(7) 1ha = □ m^2

(8) $3900000cm^3$ = □ m^3

2 次の問いに答えなさい。 2年 3年 4年

(1) 12cm は何 mm ですか。　(　　　)

(2) 0.5km は何 cm ですか。　(　　　)

(3) $250m^2$ は何 a ですか。　(　　　)

(4) 250a は何 ha ですか。　(　　　)

(5) 250ha は何 km^2 ですか。　(　　　)

(6) $2m^3$ は何 cm^3 ですか。　(　　　)

テスト 1

DAY 1 TEST

目標時間 10分

解答は別冊の P.006

1 次の計算をしなさい。

(1) $518 + 82$

(2) $46 - (62 - 54)$

(3) $14.71 + 3.8$

(4) $12 - 8.7$

(5) 702×68

(6) 2.91×8.3

(7) $896 \div 28$

(8) $27.3 \div 3.25$

(9) $5 \times 8.2 - 1.5 \div 0.3$

(10) $(3.75 + 6.25) \times 0.6$

2 次の数を求めなさい。

(1) 48 と 60 の最大公約数を求めなさい。　（　　　　　）

(2) 12 と 18 の最小公倍数を求めなさい。　（　　　　　）

3 次の計算をしなさい。

(1) $\frac{3}{4} + \frac{2}{3}$

(2) $2\frac{1}{3} - 1\frac{7}{12}$

(3) $\frac{2}{3} + \frac{7}{9} - \frac{5}{6}$

(4) $\frac{5}{6} \times \frac{24}{25}$

(5) $\frac{3}{8} \div \frac{9}{4}$

(6) $\frac{1}{6} \div \frac{7}{4} \times \frac{21}{16}$

(7) $\frac{1}{2} + 0.25 + \frac{1}{8}$

(8) $0.3 \div \frac{2}{5} + \frac{5}{6}$

(9) $\left(\frac{2}{3} - \frac{1}{2}\right) \times 6$

(10) $3.7 \div \frac{5}{9} + 6.3 \div \frac{5}{9}$

4 次の□にあてはまる数を書きなさい。

(1) 3.4t = □ kg

(2) 500mL = □ L

(3) 300a = □ ha

(4) $1m^3$ = □ cm^3

単位量あたりの大きさ

目標時間 10 分　　解答は別冊の P.007

復習ポイント

- 「$1km^2$ あたり何人の人がいる」「ガソリン 1L あたり何 km 走れる車」など，単位量あたりの大きさを調べて比べるには，わり算を使う。
- $1km^2$ あたりの人口の混み具合を人口密度という。

1 ガソリン 1L あたり 11km 走る自動車があります。この自動車は，30L のガソリンで何 km 走ることができますか。 5年

（　　　　　）

2 A，B 2 つの水そうがあります。A の水そうには水が 5.6L と 14 ひきの金魚が入っています。B の水そうには水が 4.5L と 10 ぴきの金魚が入っています。 5年

(1) A の水そうでは，金魚 1 ぴきあたりの水の量は何 L ですか。

（　　　　　）

(2) B の水そうでは，金魚 1 ぴきあたりの水の量は何 L ですか。

（　　　　　）

(3) A と B のどちらの水そうのほうが，混んでいるといえますか。

（　　　　　）

3 右の表は，A 町と B 町の人口と面積を表したものです。 5年

	人口（人）	面積（km^2）
A 町	28000	140
B 町	44100	210

(1) A 町の人口密度を求めなさい。

（　　　　　）

(2) B 町の人口密度を求めなさい。

（　　　　　）

(3) A 町と B 町が合ぺいして 1 つの市になったときの，その市の人口密度を求めなさい。

（　　　　　）

平均

目標時間 10 分　解答は別冊の P.007

復習ポイント

- ばらついている数を，同じ数や同じ量になるようにならしたものを平均という。
- 平均 ＝ 合計 ÷ 個数

1 りんご５個の重さをはかると，それぞれ右のようになりました。このりんご５個の重さの平均を求めなさい。 5年

（　　　　　　）

2 右の表は，ある学級の先週６日間の欠席者の人数を表しています。欠席者の人数は，１日に平均何人か求めなさい。 5年

曜日	月	火	水	木	金	土
人数（人）	4	5	6	0	4	2

（　　　　　　）

3 １回から３回までの計算テストの平均点は 82 点で，４回から９回までの平均点は 84 点でした。 5年

(1) １回から９回までの平均は何点ですか。四捨五入して，$\frac{1}{10}$の位まで求めなさい。

（　　　　　　）

(2) 10 回目のテストで何点とれば，１回から 10 回までの平均が 85 点になりますか。

（　　　　　　）

速さ・時間・距離①

目標時間 10 分　解答は別冊の P.007

復習ポイント

・「速さ」は1時間や1分間，1秒間に進む長さ（距離）で表す。
・1時間に 60km 進む速さは，時速 60km（60km ／時）と表す。
・速さ ＝ 距離 ÷ 時間

1 次の問いに答えなさい。 5年

(1) 180km を 3 時間で走る列車の速度は，時速何 km ですか。 （　　　　　　）

(2) 5 秒間に 10m 飛ぶ鳥の秒速は何 m ですか。 （　　　　　　）

(3) 3 分間で 108km 進むジェット機の秒速は何 m ですか。 （　　　　　　）

(4) 3.2km を 8 分間で進む自転車の分速は何 m ですか。 （　　　　　　）

(5) 40km を 50 分間で走る自動車の時速は何 km ですか。 （　　　　　　）

2 次の問いに答えなさい。 5年

(1) 時速 60km は分速何 km ですか。 （　　　　　　）

(2) 時速 90km は秒速何 m ですか。 （　　　　　　）

(3) 秒速 3m は時速何 km ですか。 （　　　　　　）

速さ・時間・距離②

目標時間 10 分　解答は別冊の P.007

復習ポイント

- 「距離」はある速さ（時速・分速・秒速）で，どれだけの時間進み続けたかをもとに計算する。
- 時速 60km で 2 時間進み続けると，60km／時 × 2 時間 = 120km となる。　距離 = 速さ × 時間
- ある距離を，ある速さで走りきるのにかかる「時間」は，距離を速さでわり算して計算する。
- 60km／時で 180km 走る時間は，180km ÷ 60km／時 = 3 時間となる。　時間 = 距離 ÷ 速さ

1 次の問いに答えなさい。 5年

(1) 時速 70km の電車が 2 時間で進む道のりを求めなさい。　(　　　　)

(2) 分速 50m で歩く人は，25 分間で何 m 進みますか。　(　　　　)

(3) 秒速 1.2m でジョギングすると，5 分間で何 m 進みますか。　(　　　　)

(4) 時速 90km の自動車が 30 分間走ったときの道のりは何 km ですか。　(　　　　)

2 次の問いに答えなさい。 5年

(1) 300km の道のりを時速 60km で進むときにかかる時間を求めなさい。　(　　　　)

(2) 分速 0.7km の自動車が 84km 走るのに何時間かかりますか。　(　　　　)

(3) 分速 240m で走る自転車が 1.2km の道のりを走るのにかかる時間を求めなさい。　(　　　　)

(4) 秒速 340m で進む音が，1530m 伝わるのに何秒かかりますか。　(　　　　)

割合①

目標時間 10 分 解答は別冊の P.008

復習ポイント

・ある量をもとにして，比べる量がもとにする量の何倍にあたるかを表した数を「割合」という。

・**割合 ＝ 比べる量 ÷ もとにする量**

・クラス 40 人（もとにする量）のうち，〇倍（割合）にあたる 24 人（比べる量）が男子

24 人÷ 40 人＝ 0.6　答え 0.6 倍

・**比べる量 ＝ もとにする量 × 割合**

・クラス 40 人（もとにする量）のうち，0.6 倍（割合）にあたる△人（比べる量）が男子

40 人 × 0.6 倍 ＝ 24 人　答え 24 人

1 男子が 32 人，女子が 40 人います。 5年

(1) 女子の人数をもとにすると，男子の人数の割合はいくつですか。

（　　　　）

(2) 男子の人数をもとにすると，女子の人数の割合はいくつですか。

（　　　　）

2 150g の小麦粉に 90g のさとうを混ぜます。小麦粉の重さをもとにしたときの，さとうの重さの割合を求めなさい。 5年

（　　　　）

3 ひなさんのクラス 36 人のうち，0.25 倍にあたる人がめがねをかけています。めがねをかけている人は何人ですか。 5年

（　　　　）

4 定員 60 人のバスに，その 1.2 倍にあたる乗客が乗っています。乗客は何人ですか。 5年

（　　　　）

5 3L あったジュースのうち，その 0.2 倍にあたる量を飲みました。ジュースはあと何 L 残っていますか。 5年

（　　　　）

割合②

目標時間 10 分　解答は別冊の P.008

復習ポイント

- もとにする量 ＝ 比べる量 ÷ 割合
- クラス□人（もとにする量）のうち，0.6 倍（割合）にあたる 24 人（比べる量）が男子
  24 人 ÷ 0.6 倍 ＝ 40 人　答え 40 人

1 1 冊 560 円の本を買いました。 これは，持っていたお金の 0.4 倍にあたります。 はじめに持っていたお金は何円ですか。 5年

(　　　　　)

2 リボンを 0.6m だけ切り取りました。 これは，はじめにあったリボンの 0.15 倍にあたります。 もとのリボンの長さは何 m でしたか。 5年

(　　　　　)

3 あるクラスで，りんごが好きな人は 27 人いました。 これは，クラス全体の人数の 0.75 倍です。 クラス全体の人数は何人ですか。 5年

(　　　　　)

4 まなさんの学校では，108 人がペットをかっています。 これは全児童数の 0.24 倍です。 まなさんの学校の児童数は何人ですか。 5年

(　　　　　)

中学校のさきどり　方程式

わからない数量を文字 x を使って式に表して，x の値を求めます。
たとえば，上の **1** では，持っていたお金を x 円として，

$x \times 0.4 = 560$　　$x = 560 \div 0.4 = 1400$　　答え 1400 円

とします。これを，方程式をたてて，方程式を解くといいます。

百分率と歩合

目標時間 10 分　解答は別冊の P.008

復習ポイント

・「百分率」　0.01 倍を 1 パーセントといい，1%と書く割合の表し方。
0.01 倍 ＝ 1%，0.1 倍 ＝ 10%，1 倍 ＝ 100%
・「歩合」　日本で昔から使われている割合の表し方。
1 割 ＝ 0.1 倍 ＝ 10 %，1 分 ＝ 0.01 倍 ＝ 1%，1 厘 ＝ 0.001 倍 ＝ 0.1%

1 次の小数で表した割合を，百分率で表しなさい。 5年

(1) 0.08　(　　　　)
(2) 0.4　(　　　　)
(3) 1.05　(　　　　)
(4) 0.701　(　　　　)

2 次の百分率や歩合で表した割合を，小数で表しなさい。 5年

(1) 3%　(　　　　)
(2) 62%　(　　　　)
(3) 110%　(　　　　)
(4) 2.5%　(　　　　)
(5) 5 割 8 分　(　　　　)
(6) 4 割 4 分 6 厘　(　　　　)

3 次の □ にあてはまる数を求めなさい。 5年

(1) 3L は，6L の □ % です。　(　　　　)
(2) 60kg の 4 割は □ kg です。　(　　　　)
(3) 4km は □ km の 2% です。　(　　　　)
(4) □ cm^2 の 150% は 90cm^2 です。　(　　　　)

比

目標時間 10 分　解答は別冊の P.008

復習ポイント

・2 つの量の大きさの割合を，A : B と表す。
A : B の比の値 ＝ A ÷ B ＝ $\frac{A}{B}$

1 次の割合を簡単な比で表しなさい。 6年

(1) 中学生 3 人と小学生 7 人の比

（　　　　　　）

(2) 米の重さ 200g と水の重さ 300g の比

（　　　　　　）

2 次の比を簡単にしなさい。 6年

(1) 2 : 8

(2) 28 : 21

(3) 0.6 : 1.5

(4) $\frac{1}{3} : \frac{1}{2}$

3 次の比の値を求めなさい。 6年

(1) 2 : 3

(2) 9 : 12

4 次の式で，x の表す数を求めなさい。 6年

(1) $5 : 3 = x : 9$

(2) $11 : 3 = 33 : x$

比例

目標時間 20 分　解答は別冊の P.009

復習ポイント

・2 つの数量があり，一方が 2 倍，3 倍…と変化するにつれて，もう一方も 2 倍，3 倍…と変化することを比例という。
・$y = a \times x$　と表す場合，y は x に比例するという。

1 次の表は，あるひもの長さ xm とその重さ yg の関係を表したものです。次の問いに答えなさい。 5年 6年

長さ x (m)	1	2	3	4	5	6
重さ y (g)	6	12	18	24	30	36

(1) x の値が 2 から 10 に変わると，対応する y の値は何倍になるか。

(2) 重さは長さの何倍になっているか。

(3) x の値が 1 増えると，y の値はいくつ増えるか。

(4) y を x の式で表しなさい。

(5) x の値が 12 のときの対応する y の値を求めなさい。

2 次の表は，たての長さが等しい長方形の，横の長さと面積の関係を表したものです。次の問いに答えなさい。 5年 6年

横の長さ x (cm)	1	2	3	4	5
面積 y (cm^2)	3	6	9	(あ)	(い)

(1) 表の(あ)，(い)にあてはまる数を答えなさい。　（(あ)　　(い)　）

(2) y を x の式で表しなさい。

(3) 次のア～ウのうち，x と y の関係を表すグラフを選びなさい。

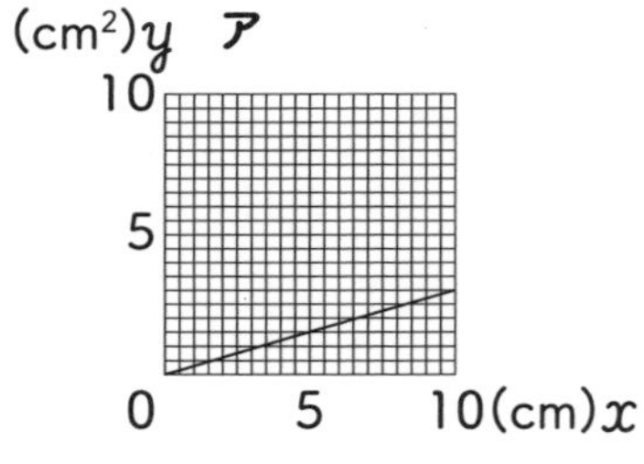

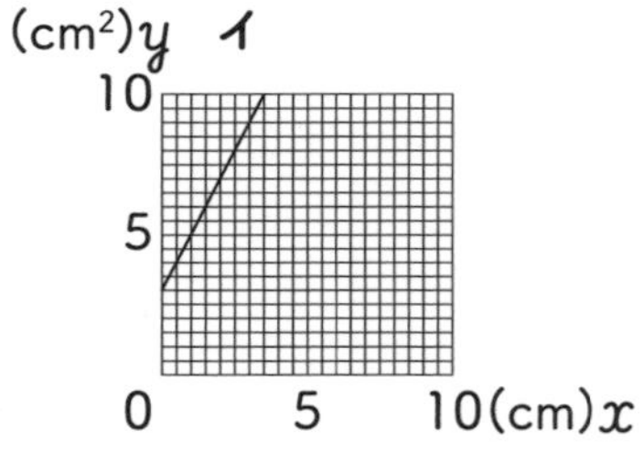

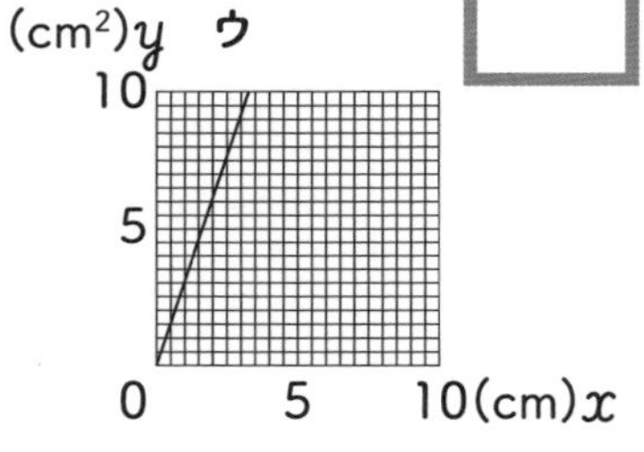

反比例

目標時間 10 分　解答は別冊の P.009

復習ポイント

・2 つの数量があり，一方が 2 倍，3 倍…と変化するにつれて，もう一方は$\frac{1}{2}$倍，$\frac{1}{3}$倍…と変化することを反比例という。

・$x \times y = a$　と表す場合，y は x に反比例するという。

1 次の表は，面積が 24cm^2 の長方形をつくるときのたての長さ x cm と横の長さ y cm の関係を表したものです。次の問いに答えなさい。 6年

縦 x(cm)	1	2	3	4	6	8	12	24
横 y(cm)	24	12	8	6	4	3	2	1

(1) x の値が 2 から 6 に 3 倍になると，対応する y の値は何倍になりますか。　（　　　　）

(2) x の値が$\frac{1}{4}$になると，y の値はどうなりますか。　（　　　　）

(3) たての長さと横の長さの積は，いつもいくつになっていますか。　（　　　　）

(4) y を x の式で表しなさい。　（　　　　）

2 次の表は，12km の道のりを進むときの時速とかかる時間の関係を表したものです。次の問いに答えなさい。 6年

時速　　x(km)	1	2	3	4	6	12
かかる時間 y(時間)	12	6	4	3	2	1

(1) y を x の式で表しなさい。　（　　　　）

(2) 次のア～ウのうち，x と y の関係を表すグラフを選びなさい。　□

ア

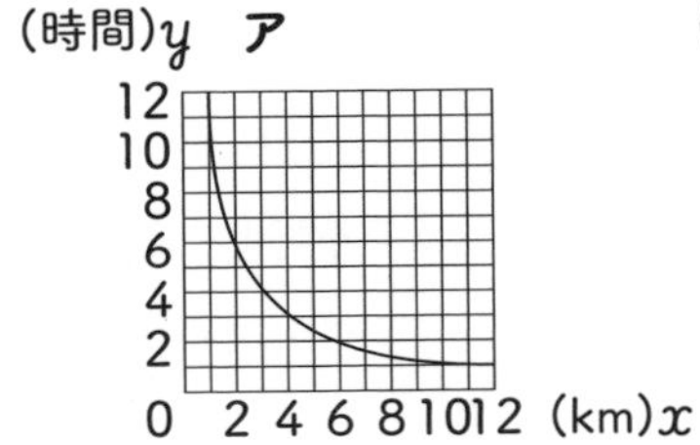

イ

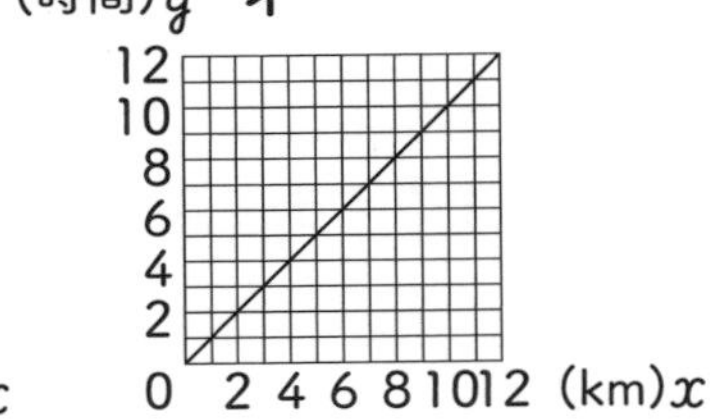

ウ

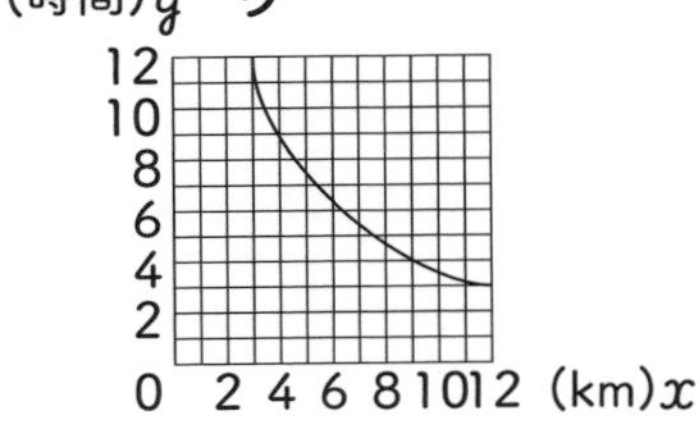

並び方

目標時間 10 分　解答は別冊の P.009

復習ポイント

・並び方を考えるときは**樹形図**を書くと便利。
・1，2，3，4 の並び方は，最初を1としたら，右の図のように6通りになる。
・最初に置く数は1，2，3，4 の4通りなので，6通り × 4 ＝ 24通り

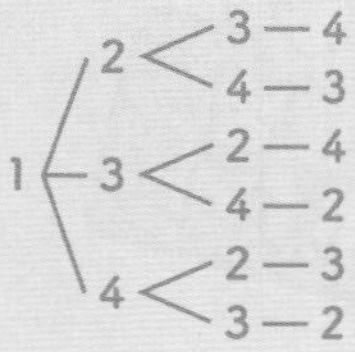

1 A，B，C，Dの4人がリレーのチームをつくります。次の問いに答えなさい。　6年

(1) Aが最初に走るとき，残りの3人の走る順番の決め方は何通りありますか。

（　　　　　　）

(2) 4人が走る順番の決め方は，全部で何通りありますか。

（　　　　　　）

2 [1]，[4]，[7]の3枚のカードがあります。これを左から並べて3けたの数をつくります。次の問いに答えなさい。　6年

(1) 3けたの数は何通りできますか。

（　　　　　　）

(2) 3けたの偶数は何通りできますか。

（　　　　　　）

3 1枚のコインを3回続けて投げます。次の問いに答えなさい。　6年

(1) 1回目が表であった場合，2回目と3回目の表と裏の出方は何通りありますか。

（　　　　　　）

(2) 1枚のコインを3回投げたときの表と裏の出方は，全部で何通りありますか。

（　　　　　　）

組み合わせ

目標時間 10 分　解答は別冊の P.009

復習ポイント

・「A, B, C, D の 4 チームが全てのチームと試合をするとき，何試合行われるか」を考えるとき，「A 対 A は無いこと」や「A 対 B と B 対 A は同じ試合であること」に注意して考える。
①A が試合をするのは，B, C, D の 3 試合。
②「並び方」のように計算すると 3 試合 × 4 チーム = 12 試合
③A 対 B と B 対 A は同じ試合なので，12 試合 ÷ 2 = 6 試合となる。
(チーム数 − 1) × (チーム数) ÷ 2

1 A，B，C，D の 4 人の中から当番を 2 人選びます。選び方は何通りありますか。 6年

(　　　　　)

2 A，B，C，D の 4 チームでサッカーの試合をします。どのチームもちがったチームと 1 回ずつ試合をするとき，4 チームの対戦は全部で何通りになりますか。 6年

(　　　　　)

3 いちご，みかん，りんご，バナナ，メロンの 5 つの中から 2 つを選んで箱につめます。つめ方は，全部で何通りありますか。 6年

(　　　　　)

4 赤，青，白，黄，むらさきの花から 3 本を選んで花たばをつくります。選び方は全部で何通りありますか。 6年

(　　　　　)

線対称・点対称

目標時間 10 分　解答は別冊の P.010

復習ポイント

・ある平面図形を 1 本の直線を折り目にして折ったとき，ぴったり重なり合う図形を線対称であるという。また，その直線を対称の軸という。
・ある平面図形を 1 つの点を中心に 180° 回転させたとき，ぴったり重なり合う図形を点対称であるという。また，その点を対称の中心という。

1 右の図は，直線 ℓ を対称の軸とする線対称な図形です。 6年

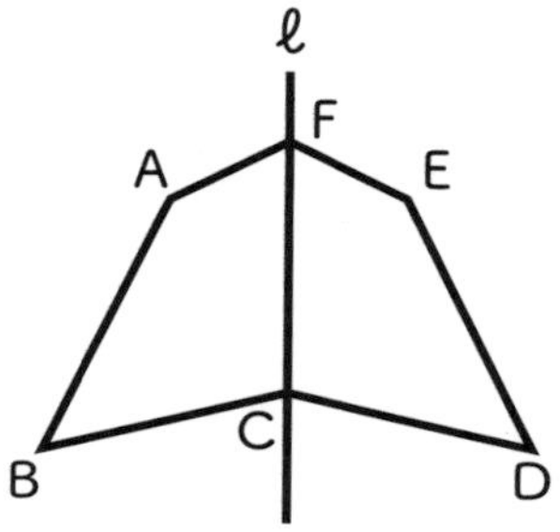

(1) 点 A に対応する点を答えなさい。

(　　　　　　　　)

(2) 辺 CD に対応する辺を答えなさい。

(　　　　　　　　)

(3) B の角に対応する角を答えなさい。

(　　　　　　　　)

2 右の方眼に，直線 ℓ を対称の軸として，線対称な図をかきなさい。 6年

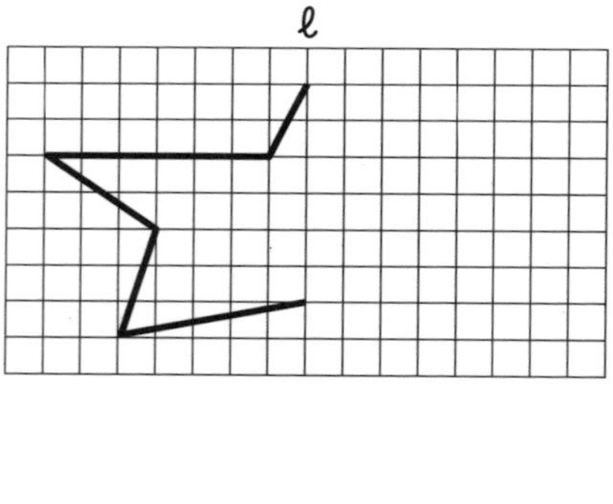

3 右下の図は，点対称な図形です。 6年

(1) 点 A に対応する点を答えなさい。

(　　　　　　　　)

(2) F の角の大きさを答えなさい。

(　　　　　　　　)

(3) 対称の中心 O を図にかき入れなさい。

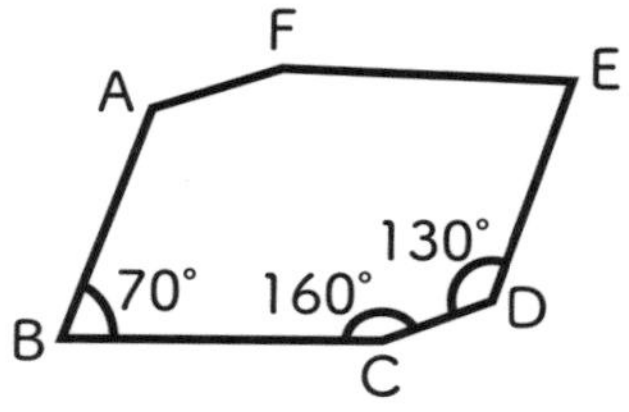

拡大図・縮図

目標時間 10 分　解答は別冊の P.010

復習ポイント

- 図形の全ての部分の長さを同じ割合でのばした図を**拡大図**という。のばした割合を**倍率**という。
- 図形の全ての部分の長さを同じ割合で縮めた図を**縮図**という。縮めた割合を**縮尺**という。

1 次の図について，下の問いに記号で答えなさい。 5年 6年

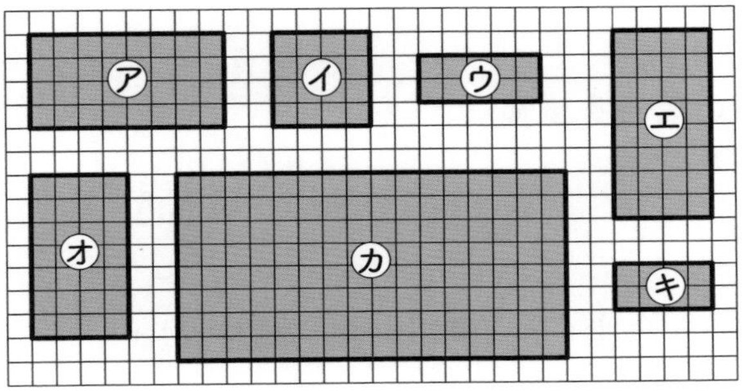

(1) ㋐の図形と合同な図形はどれですか。（　　　　）

(2) ㋐の図形の 2 倍の拡大図はどれですか。（　　　　）

(3) ㋐の図形の $\frac{1}{2}$ の縮図はどれですか。（　　　　）

2 右の三角形ABCの $\frac{1}{2}$ の縮図をかくときについて，次の問いに答えなさい。 6年

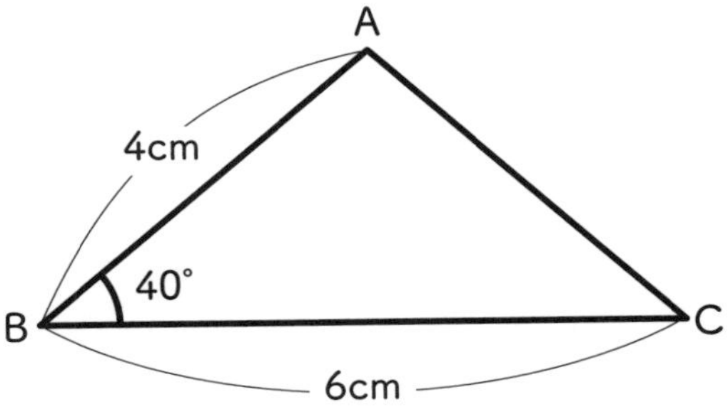

(1) B の角に対応する角の大きさは，縮図では何度になりますか。

（　　　　）

(2) 右の □ の中に，三角形 ABC の $\frac{1}{2}$ の縮図をかきなさい。

テスト 2

DAY 2 TEST

目標時間 5分

解答は別冊の P.010

I 次の問いに答えなさい。

(1) さなさんは，1か月（30日）に78dLの牛乳を飲みました。1日に平均何dL飲んだことになりますか。

（　　　　　）

(2) 300kmを4時間で走る列車の時速を求めなさい。

（　　　　　）

(3) 時速2.8kmの速さで1時間30分歩くと，何km進みますか。

（　　　　　）

(4) 650gの8%は何gですか。

（　　　　　）

(5) 定価の2割引きでシャツを買い，680円払いました。このシャツの定価はいくらですか。

（　　　　　）

(6) $\frac{4}{5} : \frac{2}{3}$ を簡単にしなさい。

（　　　　　）

(7) $63 : 84 = 9 : x$ で，x の表す数を求めなさい。

（　　　　　）

(8) A，B，C，D，Eの5人の中から代表2人を選びます。選び方は何通りありますか。

(　　　　　)

2 右の表は，一定の速さで歩いたときの歩いた時間 x 分と進んだ道のり y m の関係を表したものです。

歩いた時間 x(分)	1	2	3	4	…
進んだ道のり y(m)	55	110	165	220	…

(1) 歩いた時間が2倍，3倍，…になると，進んだ道のりはどうなりますか。

(　　　　　)

(2) y を x の式で表しなさい。

(　　　　　)

3 次の㋐～㋔の図形について，線対称な形には○を，点対称は形には△を，線対称でも点対称でもある形には◎を，どちらでもない形には×を書きなさい。

㋐(　　)　㋑(　　)　㋒(　　)　㋓(　　)　㋔(　　)

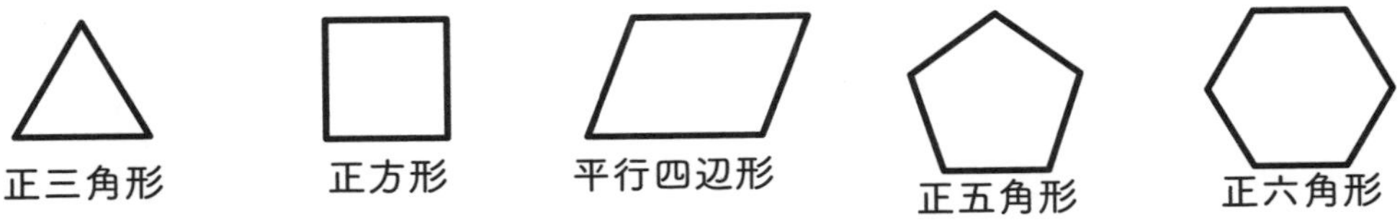

4 右の三角形㋑は三角形㋐の拡大図です。

(1) 辺DEの長さを求めなさい。

(　　　　　)

(2) Aの角の大きさを求めなさい。

(　　　　　)

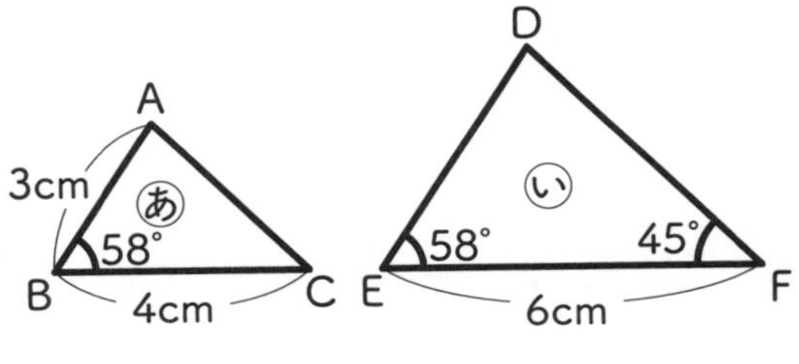

三角形とその面積

目標時間 10 分

解答は別冊の P.010

復習ポイント

・三角形の面積 ＝ 底辺 × 高さ ÷ 2

1 次の三角形の面積を求めなさい。 5年

(1)

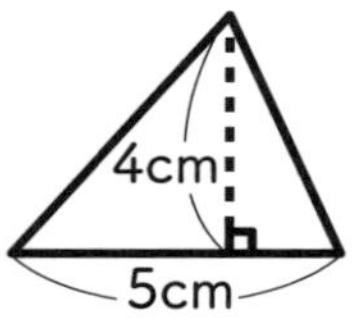

(　　　　　　)

(2)

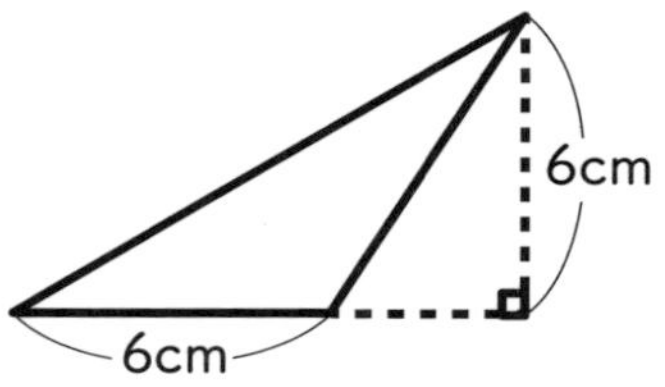

(　　　　　　)

(3)

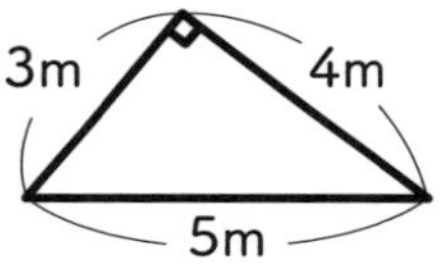

(　　　　　　)

(4)

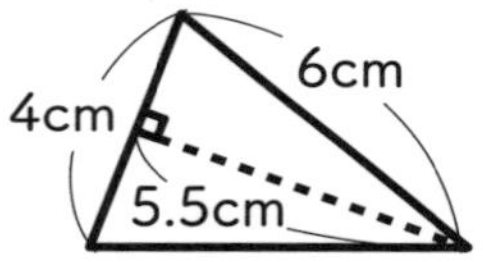

(　　　　　　)

2 右の図形で，色をぬった部分の面積を求めなさい。 5年

(　　　　　　)

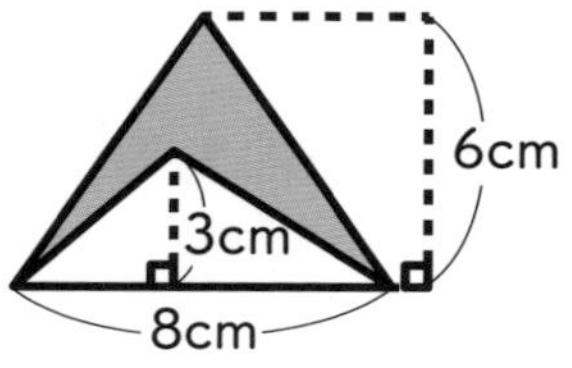

3 次の問いに答えなさい。 5年

(1) 底辺が 12cm，面積が 24cm^2 の三角形の高さを求めなさい。

(　　　　　　)

(2) 高さが 7m，面積が 28m^2 の三角形の底辺の長さを求めなさい。

(　　　　　　)

四角形とその面積

目標時間 10 分　解答は別冊の P.011

復習ポイント

- 台形の面積 ＝（上底 ＋ 下底）× 高さ ÷ 2
- 平行四辺形の面積 ＝ 底辺 × 高さ
- ひし形の面積 ＝ 対角線 × 対角線 ÷ 2

1 次の図形の面積を求めなさい。 5年

(1) 台形

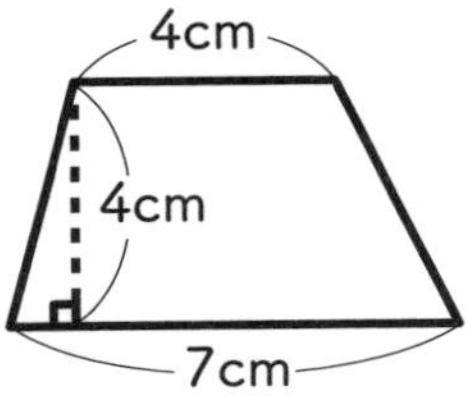

(2) 台形

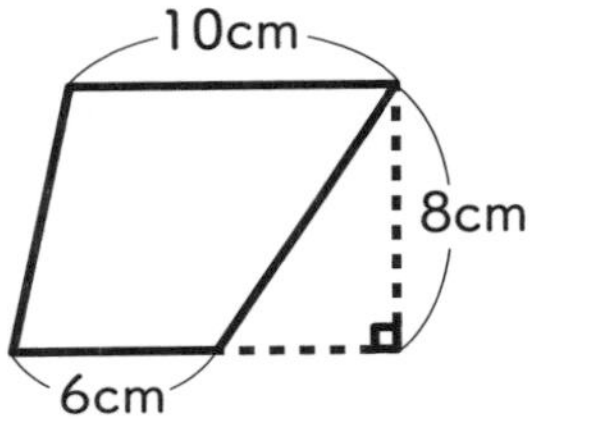

(3) 平行四辺形

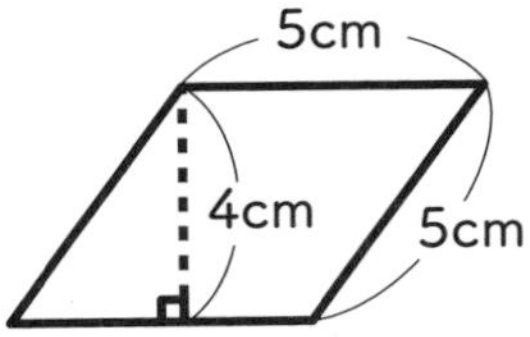

(4) 平行四辺形

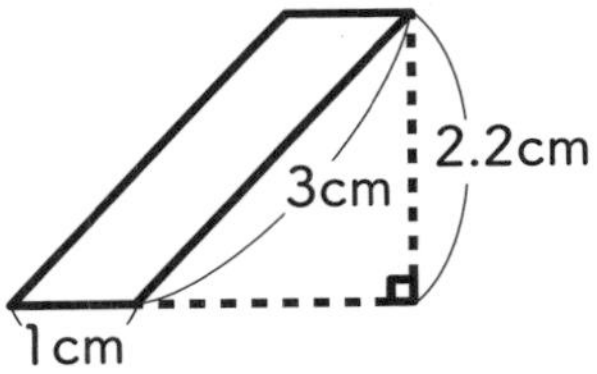

(5) ひし形

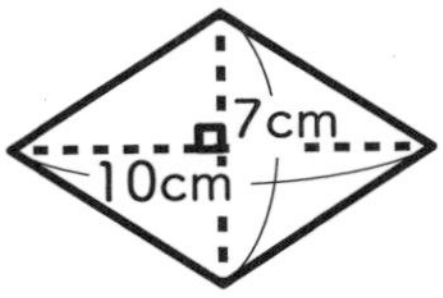

(6) ひし形

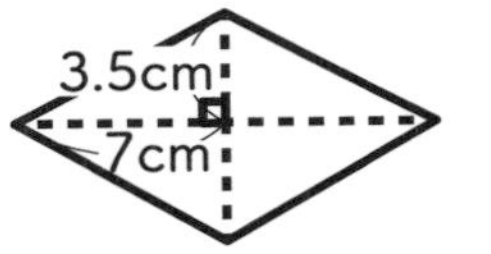

2 次の問いに答えなさい。 5年

(1) 底辺が 6cm，面積が 33cm^2 の平行四辺形の高さを求めなさい。

(2) 右の正方形の面積を求めなさい。

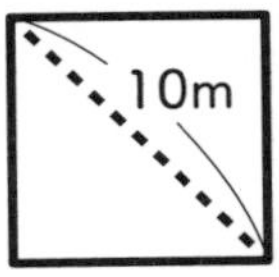

多角形といろいろな面積

目標時間 10 分　解答は別冊の P.011

復習ポイント

- 3つ以上の辺でできた図形を**多角形**という。
- 辺の長さがすべて等しい多角形を**正多角形**という。
- 多角形は1つの頂点からひける対角線でいくつかの三角形に分けられる。**その三角形の数は（辺の数）−2**になる。
- 五角形なら，三角形3つに分けられる。

1 右の正六角形について，次の問いに答えなさい。 5年

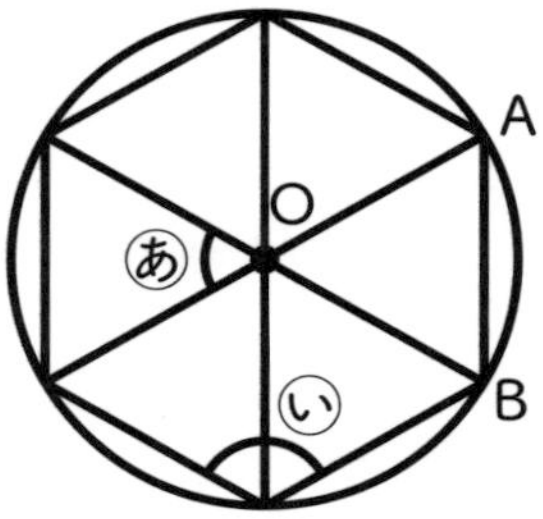

(1) あ，いの角の大きさを求めなさい。

（あ　　　　い　　　　）

(2) 三角形 OAB はどんな三角形ですか。

（　　　　）

2 次の図形の面積を求めなさい。 5年

(1)

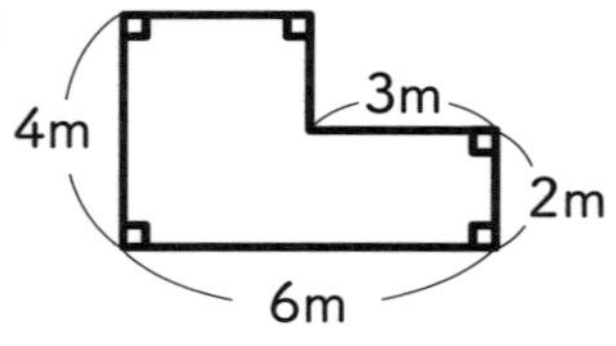

（　　　　）

(2)

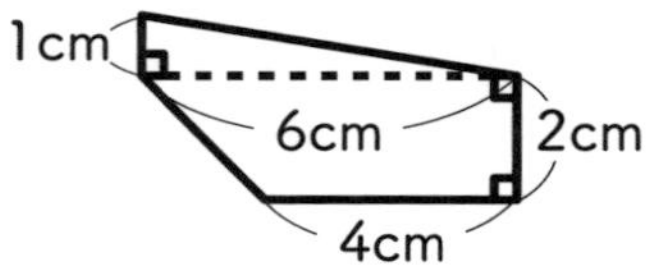

（　　　　）

(3)

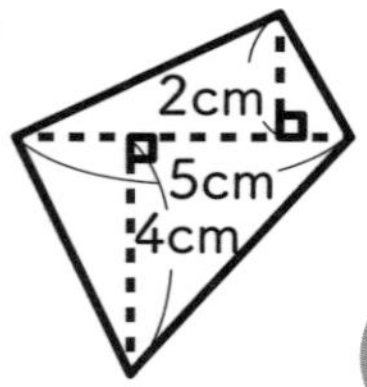

（　　　　）

(4)

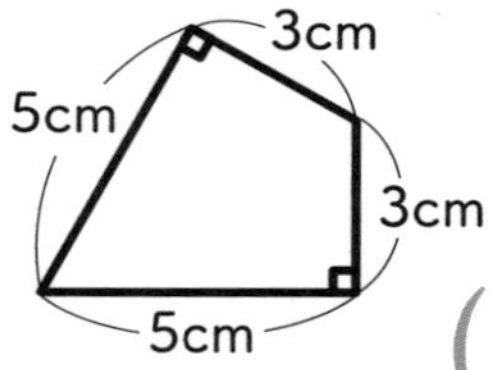

（　　　　）

3 右の図のような平行四辺形の土地に，はば 3m の道があります。道をのぞいた部分の面積は，何 m^2 ですか。 5年

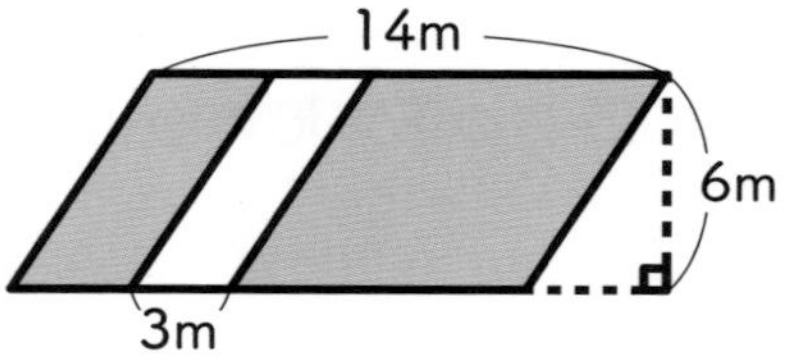

（　　　　）

三角形の角

目標時間 10分　解答は別冊の P.011

復習ポイント

- 三角形の 3 つの角の大きさの和は 180°
- 四角形の 4 つの角の大きさの和は 360°
- 多角形は 1 つの頂点からひける対角線でいくつかの三角形に分けて，**角の大きさの和は180°×三角形の数**で求めることができる。

1 次の図の(あ)～(え)の角の大きさを計算で求めなさい。 5年

(1)

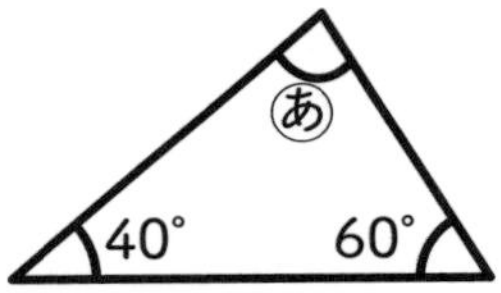

(　　　　　)

(2)

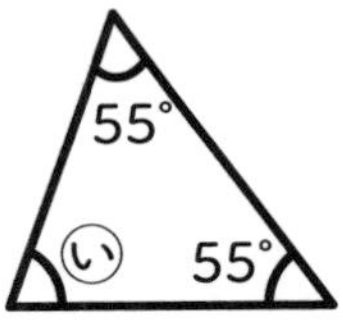

(　　　　　)

(3)

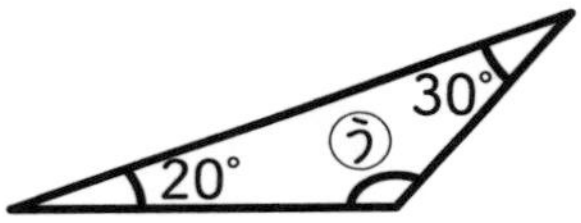

(　　　　　)

(4)

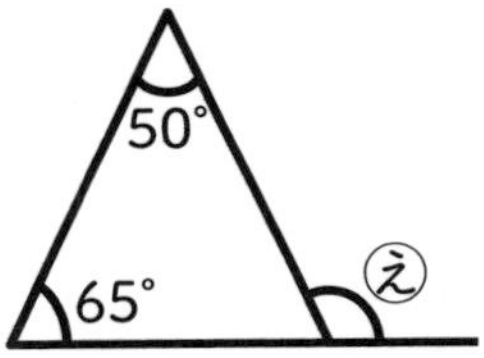

(　　　　　)

2 次の図の(か)，(き)の角の大きさを計算で求めなさい。 5年

(1)

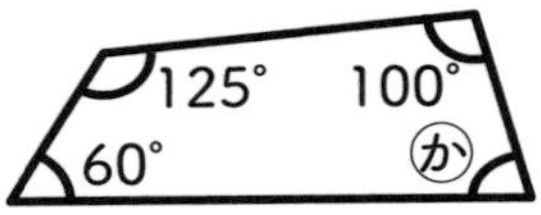

(　　　　　)

(2)

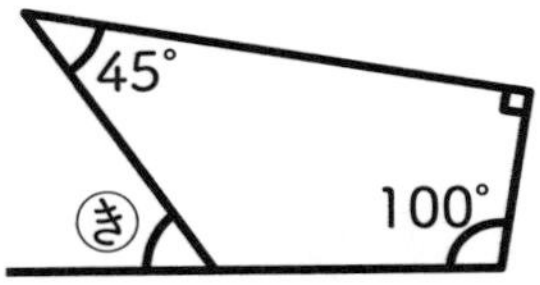

(　　　　　)

3 右の図形について，次の問いに答えなさい。 5年

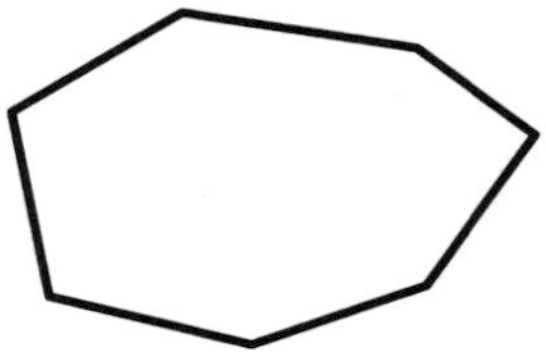

(1) 1 つの頂点から対角線をひくと，いくつの三角形に分けられますか。

(　　　　　)

(2) この図形の角の大きさの和は何度ですか。

(　　　　　)

円と円周

目標時間 **10** 分　　解答は別冊の P.011

復習ポイント

- 直径 ＝ 半径 × 2
- 円周 ＝ 直径 × 3.14

1 次の円の円周の長さを求めなさい。 5年

(1)

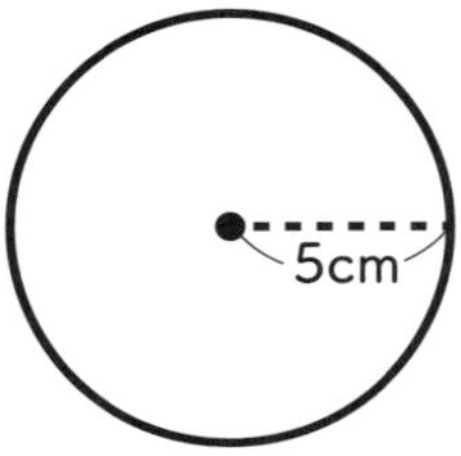

(　　　　　)

(2)

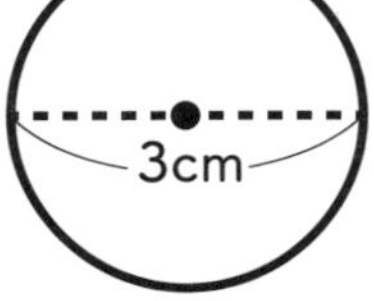

(　　　　　)

(3)

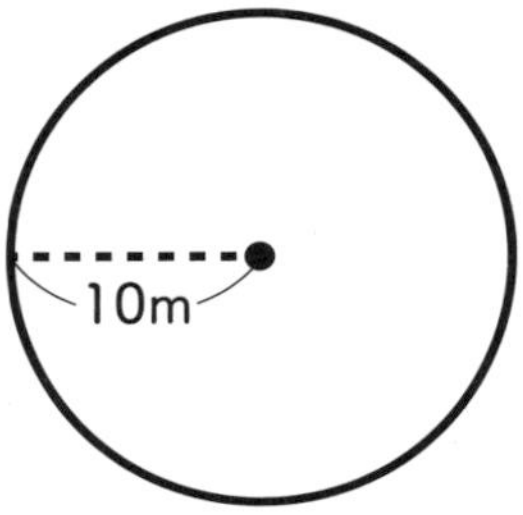

(　　　　　)

2 次の図形の色をぬった部分のまわりの長さを求めなさい。 5年

(1)

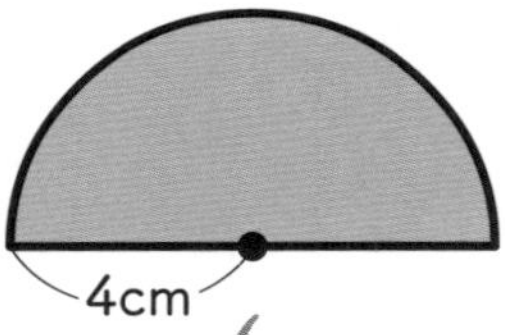

(　　　　　)

(2)

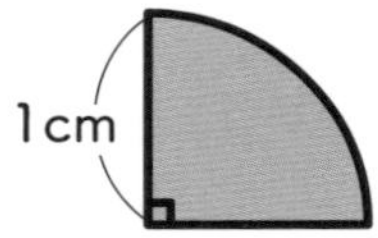

(　　　　　)

(3)

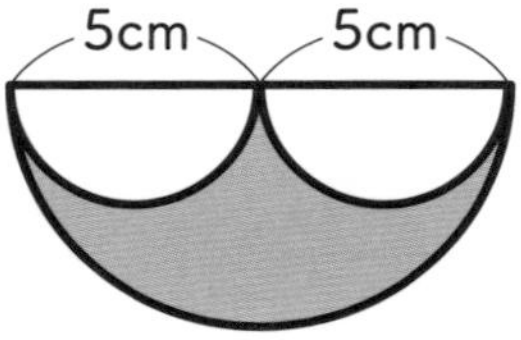

(　　　　　)

中学校のさきどり　**円周率は π《パイ》**

円周率 3.141592…は π と表します。

半径 4cm の円の円周の長さや面積は，4 × 2 × 3.14，4 × 4 × 3.14 と計算しましたが，このまちがえそうな計算をしなくても，8 × π，16 × π と表すことができます。

円の面積

目標時間 10 分　解答は別冊の P.011

復習ポイント

・円の面積 ＝ 半径 × 半径 × 3.14

1 次の図形の色をぬった部分の面積を求めなさい。 6年

(1)

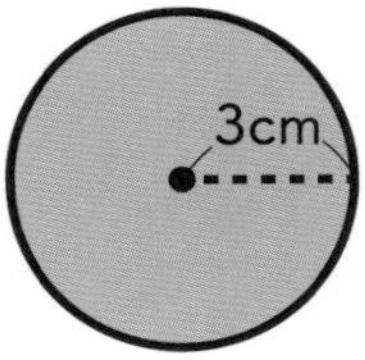

(　　　　　　)

(2)

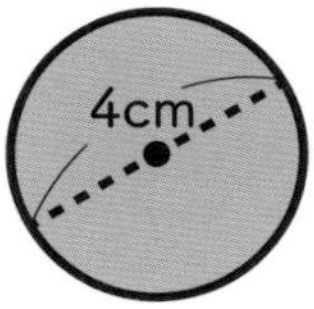

(　　　　　　)

(3)

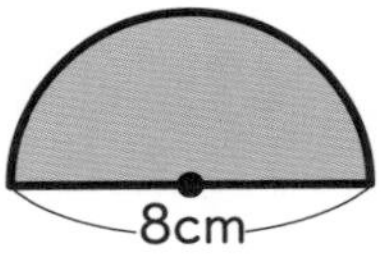

(　　　　　　)

(4)

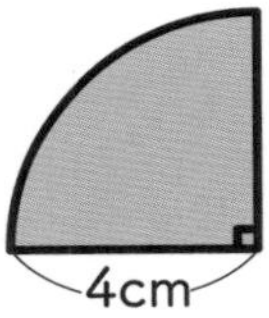

(　　　　　　)

2 次の図形の色をぬった部分の面積を求めなさい。 6年

(1)

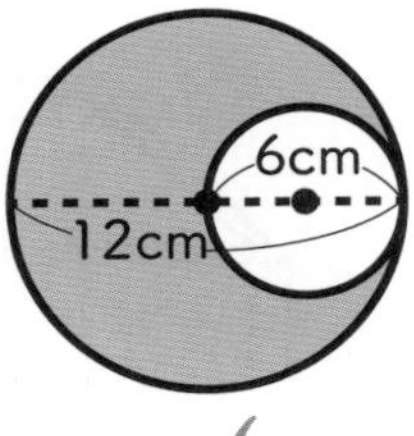

(　　　　　　)

(2)

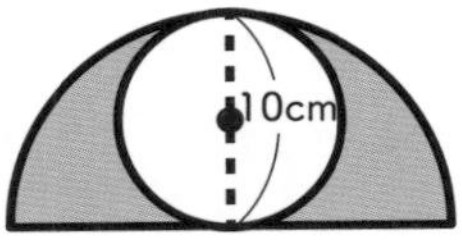

(　　　　　　)

(3)

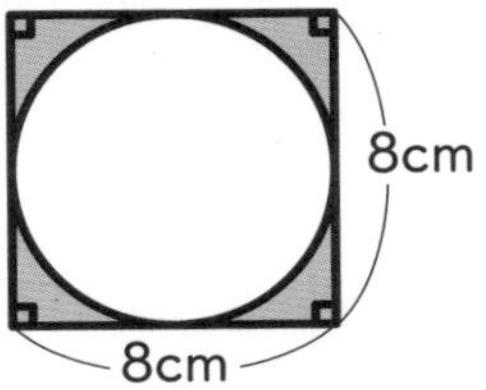

(　　　　　　)

(4)

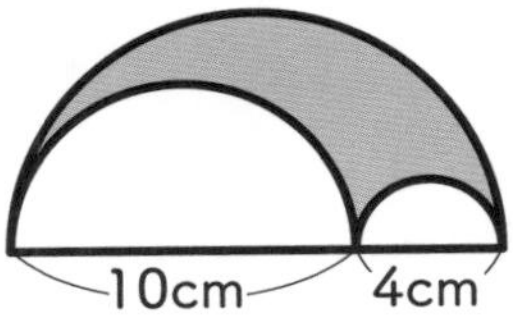

(　　　　　　)

立方体と直方体とその体積・容積

目標時間 10 分　解答は別冊の P.012

復習ポイント

- 直方体の体積 ＝ たて × 横 × 高さ
- 立方体の体積 ＝ 1 辺 × 1 辺 × 1 辺
- 入れ物に，どれだけの体積のものが入るかを考えるとき，その体積を，その入れ物の容積という。
- 入れ物の内側を測った長さを「うちのり」という。
うちのりのたて，横，高さをかけたものが容積になる。

1 次の直方体と立方体の体積を求めなさい。 5年

(1)
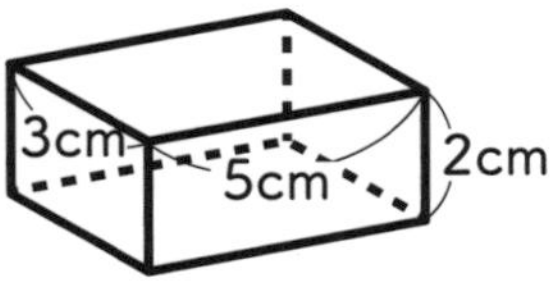

(2)
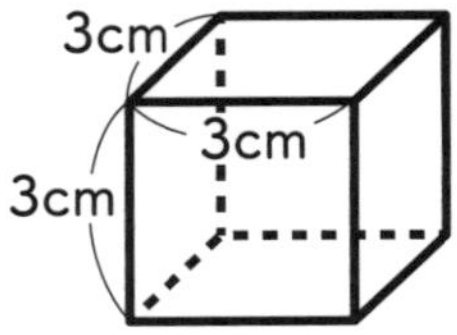

(　　　　　　)　(　　　　　　)

2 右の図のような立体の体積を求めなさい。 5年

(　　　　　　)

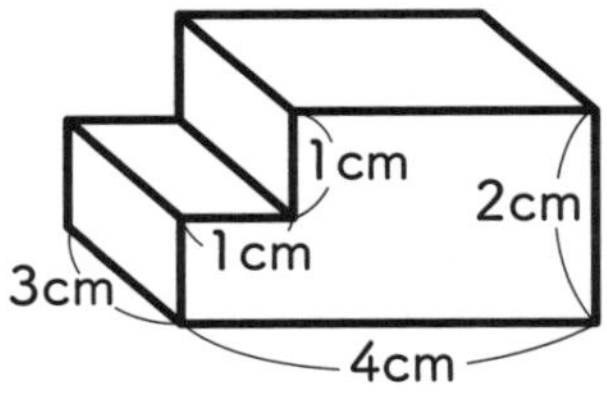

3 うちのりがたて 40cm，横 20cm，深さ 25cm の直方体の形をした水そうがあります。 5年

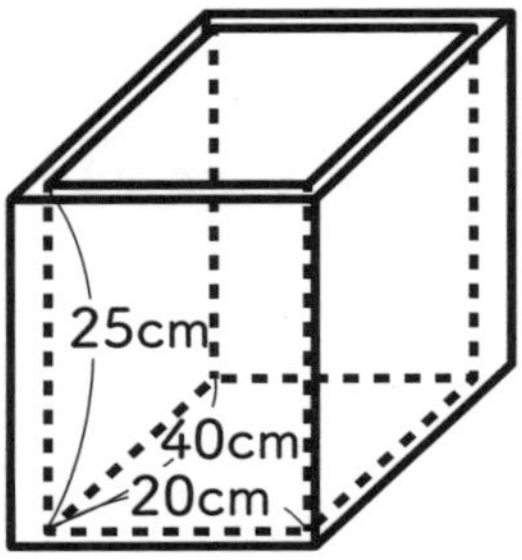

(1) この水そうの容積は何 cm^3 ですか。

(　　　　　　)

(2) この水そうには，何 L の水が入りますか。

(　　　　　　)

4 1 辺が 6cm の立方体と同じ体積の直方体をつくります。できる直方体のたてを 8cm，横を 3cm にすると，高さは何 cm になりますか。 5年

(　　　　　　)

角柱・円柱の体積

目標時間 **10** 分　　解答は別冊の P.012

復習ポイント

・角柱の体積 ＝ 底面積 × 高さ
・円柱の体積 ＝ 底面積 (半径 × 半径 × 3.14) × 高さ

1 次の立体の体積を求めなさい。 6年

(1)

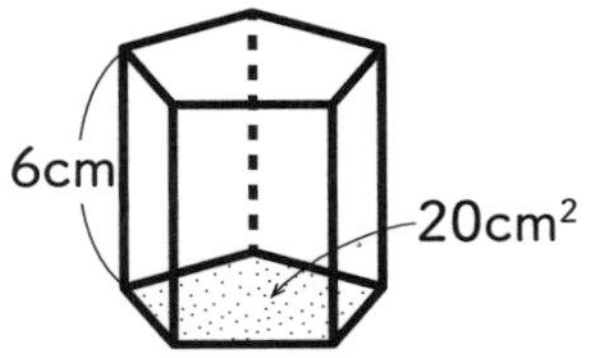

(　　　　　)

(2)

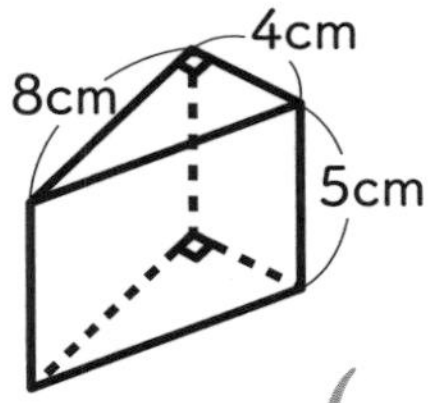

(　　　　　)

(3)

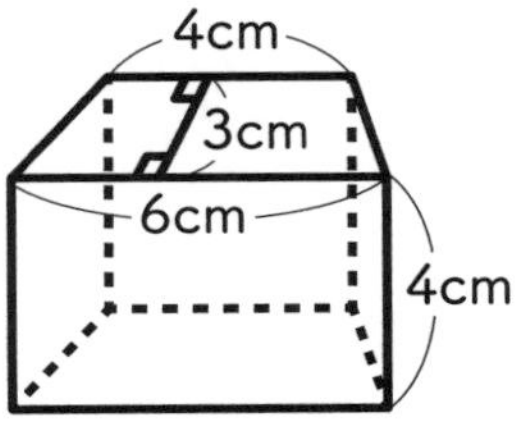

(　　　　　)

(4)

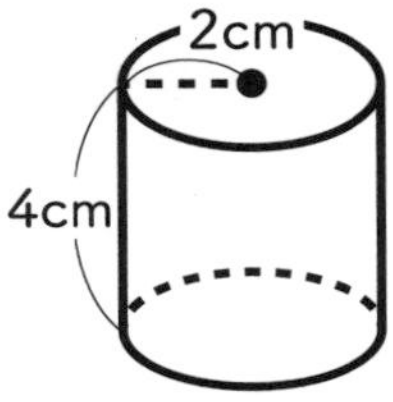

(　　　　　)

2 右の展開図を組み立ててできる立体の体積を求めなさい。 6年

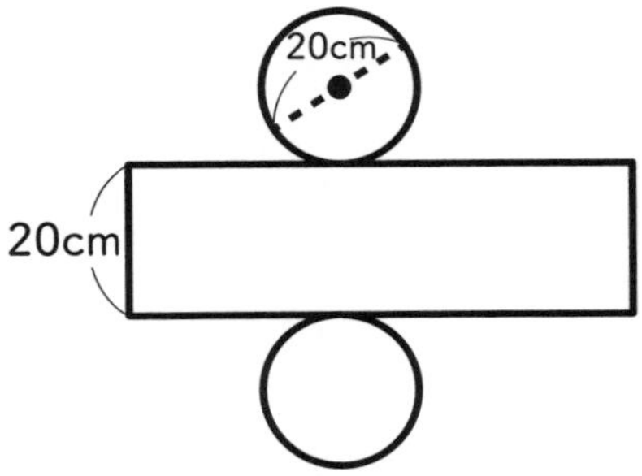

(　　　　　)

中学校のさきどり 角錐《かくすい》と円錐《えんすい》

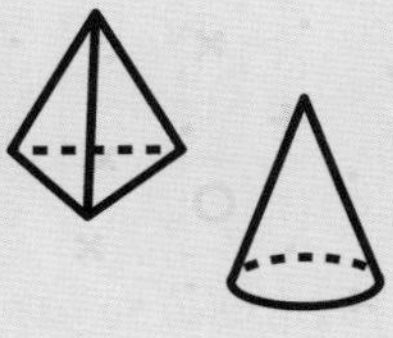

左の図のような立体を角錐，円錐といいます。
角錐で，底面が三角形，四角形，五角形のものを，三角錐，四角錐，五角錐といいます。

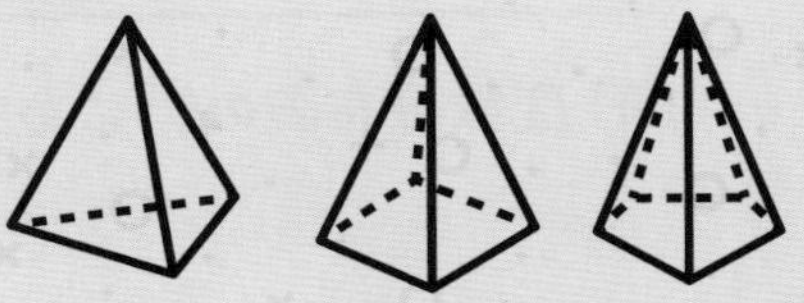

三角錐　　四角錐　　五角錐

度数分布

目標時間 10 分　解答は別冊の P.012

復習ポイント

- 各階級に入る資料の個数をその階級の**度数**という。
- 階級に応じて整理した表を**度数分布表**という。
- 階級の幅を横，度数をたてとする長方形を並べたグラフを**ヒストグラム**という。**階級値**とは度数分布表で各階級の真ん中の値。

1 えみさんは，6 年生全員の 1 週間の家庭での学習時間を調べて，右の柱状グラフに表しました。 6年

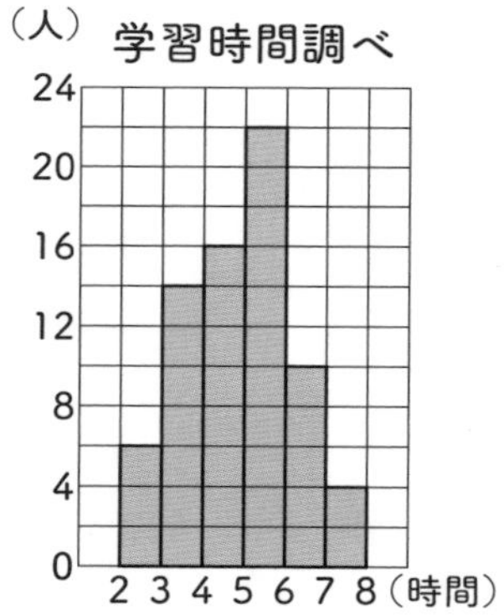

(1) 6 年生は何人いますか。（　　　　）

(2) 6 時間以上 7 時間未満の人は何人いますか。（　　　　）

(3) 度数がいちばん多い階級の階級値を答えなさい。（　　　　）

(4) 学習時間が短いほうから数えて 12 番目の人は，どの階級に入っていますか。（　　　　）

2 次の表は，あるクラスの 50 点満点の計算テストの結果を度数分布表に表したものです。 6年

計算テスト

階級（点）	人数（人）
以上　未満	
0 ～ 10	1
10 ～ 20	2
20 ～ 30	㋐
30 ～ 40	16
40 ～ 50	4
計	28

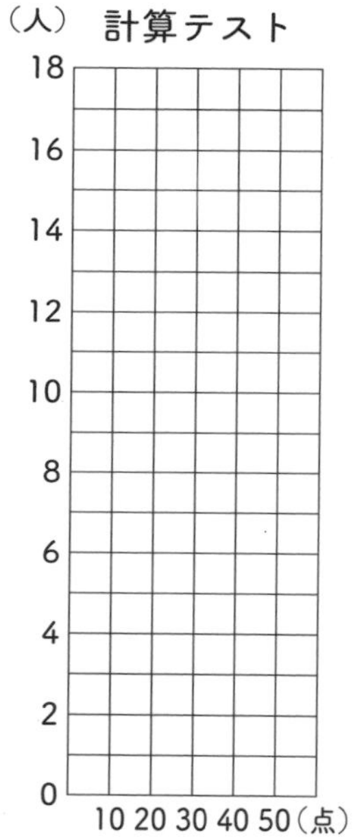

(1) 度数分布表の㋐にあてはまる数を求めなさい。（　　　　）

(2) この度数分布表を柱状グラフに表しなさい。

代表値（平均値・中央値・最頻値）

目標時間 10 分　解答は別冊の P.012

復習ポイント

- 平均 ＝ 合計 ÷ 個数
- 中央値…資料の値を大きさ順に並べたとき，その中央の値（メジアンともいう）
- 最頻《さいひん》値《ち》…資料の値の中で，最も多く現れる値（モードともいう）

1 次の表は，あるクラスの通学時間を調べたものです。 6年

6	2	12	10	4	8	8	12	16	12
9	5	11	7	3	9	6	11	13	9
8	14	10	8	2					

（単位：分）

(1) このクラスのデータを，ドットプロットに表しなさい。

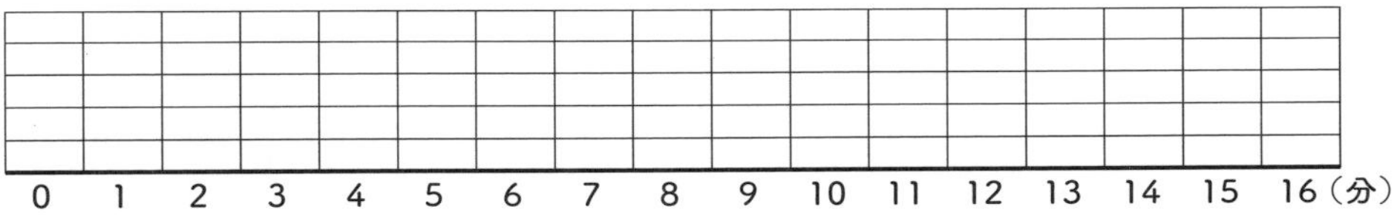

(2) このクラスのいちばん大きい値といちばん小さい値の差を求めなさい。

（　　　　　）

(3) 平均値を求めなさい。

（　　　　　）

(4) 中央値を求めなさい。

（　　　　　）

(5) 最頻値を求めなさい。

（　　　　　）

(6) (4), (5)で求めた中央値と最頻値を上のドットプロットに↑で示しなさい。

（　　　　　）

テスト 3

DAY 3 TEST

目標時間 5分

解答は別冊のP.013

1 次の三角形と平行四辺形の面積を求めなさい。

(1)

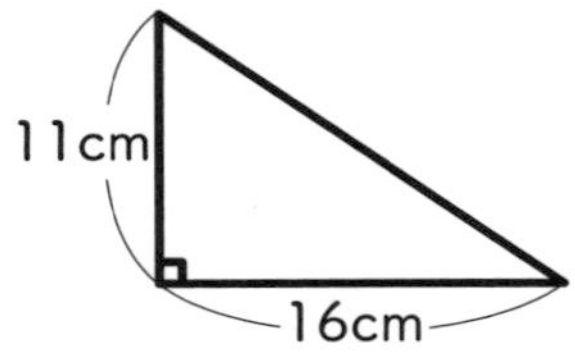

（　　　　）

(2)

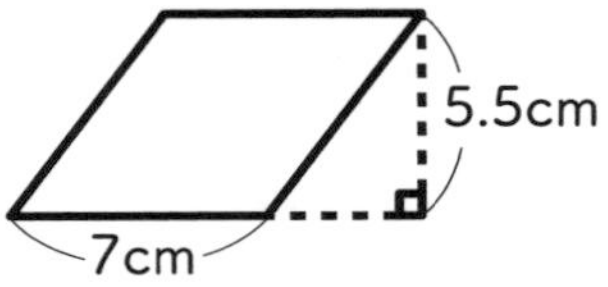

（　　　　）

2 右の図形の面積を求めなさい。

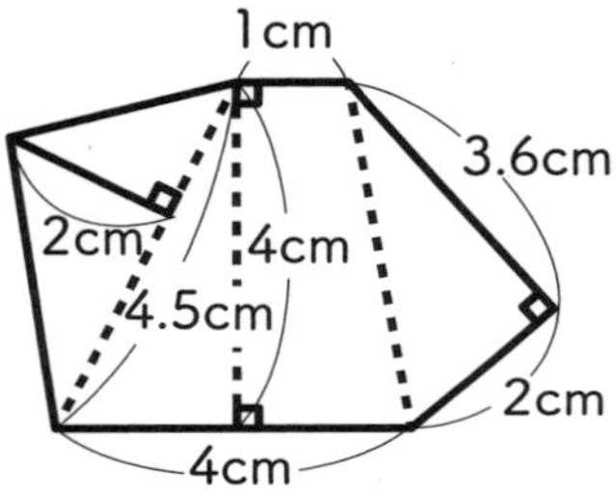

（　　　　）

3 次の(あ), (い)の角の大きさを計算で求めなさい。

(1)

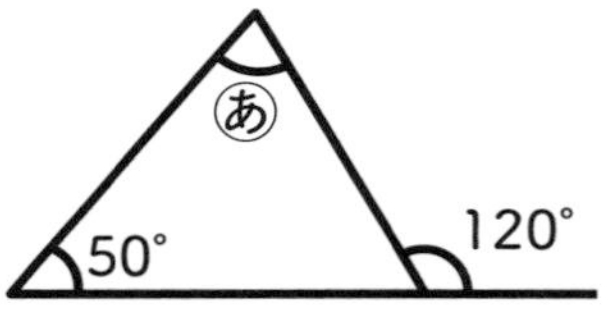

（　　　　）

(2)

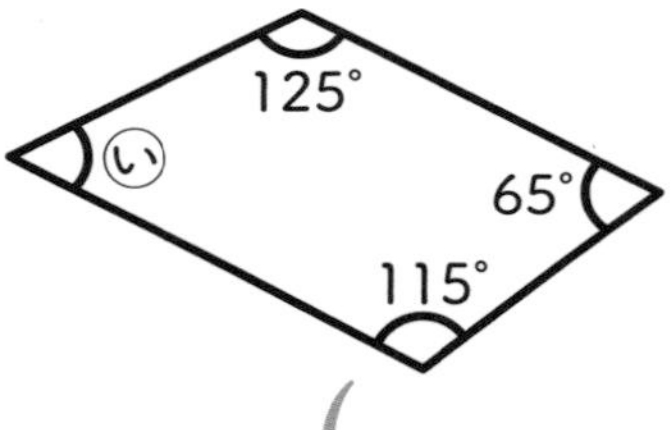

（　　　　）

4 次の図で，色をぬった部分のまわりの長さと面積を求めなさい。

(1)

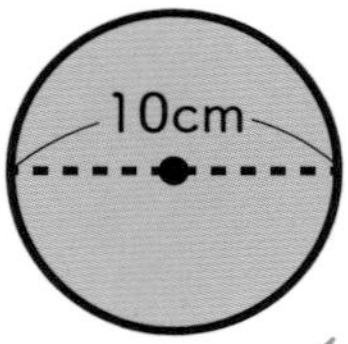

まわりの長さ（　　　　）

面積（　　　　）

(2)

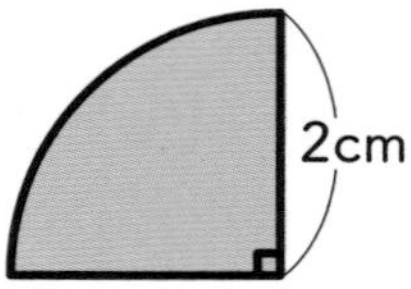

まわりの長さ（　　　　）

面積（　　　　）

5 次の立体の体積を求めなさい。

(1)

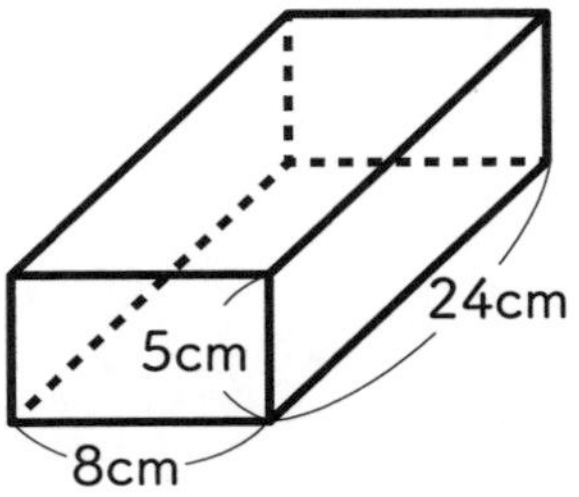

(2)

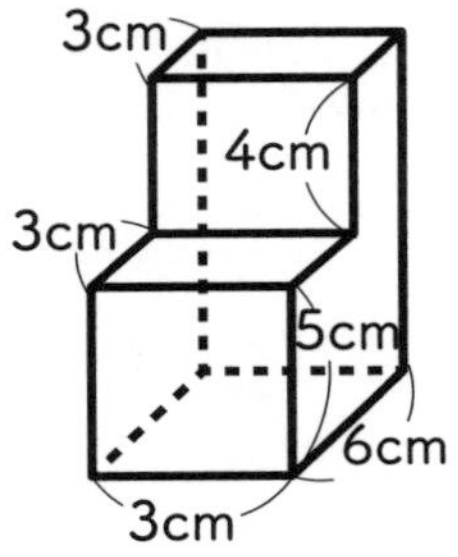

(3)

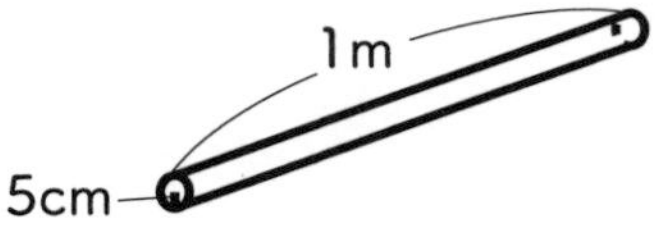

(4)

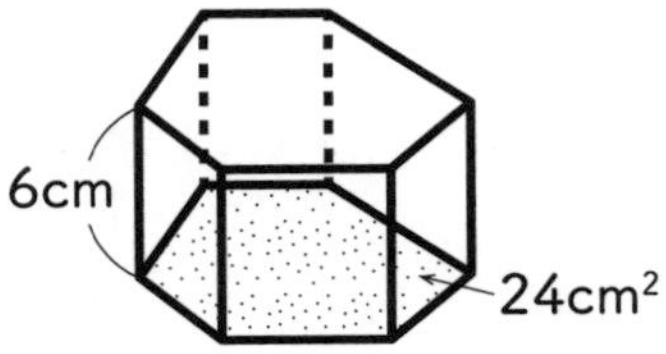

6 右の柱状グラフは，あるクラスの児童の１年間の身長の伸びを調べてまとめたものです。

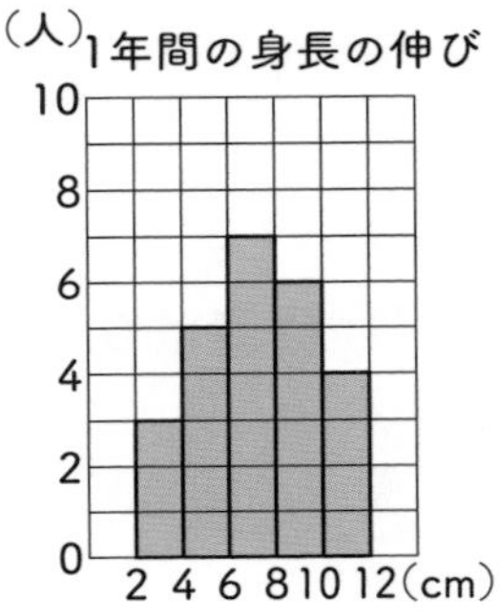

(1) このクラスの児童の人数を求めなさい。

(2) 身長の伸びが大きいほうから数えて７番目の児童は，どの範囲に入っていますか。

(3) 中央値を求めなさい。

(4) 最頻《さいひん》値《ち》を求めなさい。

日本の国土

目標時間 **15** 分　　解答は別冊の P.014

復習ポイント

＜世界と国＞

- 地球上の位置は，南北方向は 0 ～ 90 度の緯度《いど》で，東西方向は 0 ～ 180 度の経度《けいど》で正確に表せられる。
- 地球は緯度 0 度の赤道《せきどう》をはさんで南半球《はんきゅう》と北半球に分けられる。
- 日本はユーラシア大陸《たいりく》の東側にある島国である。
- 国にはそれぞれ領土《りょうど》があり，海に面していれば領海《りょうかい》もある。

＜日本の国土＞

- 日本のはしは，東は南鳥島《みなみとりしま》，西は与那国島《よなぐにじま》，南は沖ノ鳥島《おきのとりしま》，北は択捉《えとろふ》島《とう》である。
- 北方領土《ほっぽうりょうど》，竹島《たけしま》，尖閣諸島《せんかくしょとう》は我が国固有の領土であるが，北方領土はロシアと，竹島は韓国《かんこく》と，尖閣諸島は中国《ちゅうごく》と，それぞれ領土をめぐる問題をかかえている。
- 国土の多くが山地《さんち》である。
- 冬は季節風《きせつふう》や地形のえいきょうで，太平洋《たいへいよう》側では空気がかわいて雪は少ないが，日本海《にほんかい》側では空気がしめって雪が多くなるなど，日本の気候《きこう》は地域によって大きく異《こと》なる。

1 世界と国について，次の問いに答えなさい。 5年

(1) 経度は 0 度から何度まであるか書きなさい。

（　　　　　　　　度）

(2) 0 度の緯線を何というか。

（　　　　　　　　）

(3) 日本のすぐ西側にある大陸を書きなさい。

（　　　　　　　　大陸）

(4) それぞれの国が持っている土地のことを何というか。

（　　　　　　　　）

2 日本の国土について，次の問いに答えなさい。 5年

(1) 日本の南のはしはどこか。次のア～エから１つ選び，記号で答えなさい。

ア　南鳥島　　イ　与那国島
ウ　沖ノ鳥島　　エ　択捉島

(2) 外国との領土をめぐる問題をかかえている所はどこか。次のア～エから１つ選び，記号で答えなさい。

ア　佐渡島《さどしま》　　イ　竹島
ウ　屋久島《やくしま》　　エ　与那国島

(3) 日本の陸地の70％以上を占《し》める地形は何か。次のア～エから１つ選び，記号で答えなさい。

ア　盆地《ぼんち》　　イ　山地
ウ　平地《へいち》　　エ　台地《だいち》

(4) 冬に雪の降《ふ》る量が多い地域はどこか。次のア～エから１つ選び，記号で答えなさい。

ア　太平洋側　　イ　瀬戸内《せとうち》
ウ　中央高地《ちゅうおうこうち》　　エ　日本海側

(5) 冬の季節風が，太平洋側の地域にとくにもたらすものは何か。次のア～エから１つ選び，記号で答えなさい。

ア　雪　　イ　雨
ウ　しめった風　　エ　かわいた風

中学校のさきどり　気候区分

世界の各地域は気温や降水量などによって，さまざまな「気候帯」や「気候区」といったものに区分されます。日本は南北方向に細長いことなどもあり，次のように分けられています。

温帯《おんたい》　日本海側の気候，太平洋側の気候，中央高地の気候，瀬戸内《せとうち》の気候
冷帯《れいたい》（亜寒帯《あかんたい》）　北海道《ほっかいどう》の気候
亜熱帯《あねったい》　南西《なんせい》諸島の気候

農業

目標時間 15 分　解答は別冊の P.014

復習ポイント

- 稲《いね》はおもに，水を入れた田《た》である水田《すいでん》で栽培《さいばい》される。
- 酪農《らくのう》も農業《のうぎょう》の一種で，牛などを飼育して，乳などを生産する。
- 標高《ひょうこう》が高いところではレタスなどの高原野菜《こうげんやさい》が栽培されるなど，それぞれの土地に合う作物《さくもつ》が栽培される。
- 地元で生産された作物を地元で消費《しょうひ》する地産地消《ちさんちしょう》を行うことで，国内の食料消費に対する国内の食料生産の割合である食料自給率《しょくりょうじきゅうりつ》も上がると考えられている。
- あたたかかったりすずしかったりする土地ではその気候《きこう》を生かして，出荷《しゅっか》の時期を早くする促成栽培《そくせいさいばい》やおそくする抑制栽培《よくせいさいばい》をすることも多い。
- たまねぎはつゆがなくて雨が少ない気候の北海道《ほっかいどう》，りんごはすずしい気候の青森県《あおもりけん》，トマトはあたたかい気候の熊本県《くまもとけん》で多く生産されるといったように，おもな生産地にとくちょうのある作物がある。

1　次の問いに答えなさい。 5年

(1) 水を入れた田を，とくに何というか。

（　　　　　　　　）

(2) 夏もすずしいという高原のとくちょうを生かして生産される，レタスや白菜などの野菜を何というか。

（　　　　　　　野菜）

(3) 牛などを飼育して，牛乳やチーズ，バターなどの乳製品を生産する農業を何というか。

（　　　　　　　　）

(4) 地元で生産された食材を，ほかの地域に売らずに地元で食べることを何というか。

（　　　　　　　　）

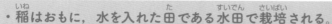

2 次の問いに答えなさい。 5年

(1) トマトの出荷量が全国第１位の都道府県はどこか。

（　　　　　　　　　　）

(2) たまねぎの出荷量が全国第１位の都道府県はどこか。

（　　　　　　　　　　）

(3) りんごの出荷量が全国第１位の都道府県はどこか。

（　　　　　　　　　　）

(4) ９月ごろに出荷する作物を12月ごろに出荷するような，ふつうの時期よりもおそく出荷する栽培方法を何というか。

（　　　　　　　　　　栽培）

(5) ４月ごろに出荷する作物を１月ごろに出荷するような，ふつうの時期よりも早く出荷する栽培方法を何というか。

（　　　　　　　　　　栽培）

(6) 国内で生産された食料品の量が，国内で食べられている全食料品の量に占《し》める割合を何というか。

（　　　　　　　　　　率）

中学校のさきどり　園芸農業《えんげいのうぎょう》

消費の多い都市向けに野菜や果物，花などを生産することを園芸農業といいます。同じ園芸農業でも，都市との位置関係や栽培に利用するものなどによって，さまざまな言い方があります。

- 施設園芸農業《しせつえんげいのうぎょう》　温室《おんしつ》やビニールハウスなどを利用して栽培する園芸農業
- 近郊農業《きんこうのうぎょう》　都市から近い土地で行う園芸農業
- 輸送園芸農業《ゆそうえんげいのうぎょう》　都市から遠い土地から，船や高速道路などを利用して収穫《しゅうかく》したものを運ぶ園芸農業

工業・貿易

目標時間 15 分 解答は別冊の P.014

復習ポイント

＜日本の工業＞

- 資源《しげん》には限りがあるため持続可能《じぞくかのう》な社会《しゃかい》が目指されており，太陽光《たいようこう》や風力《ふうりょく》，地熱，バイオマスといった再生可能《さいせいかのう》エネルギーの普及《ふきゅう》が期待されている。
- 工場が集まるなど，工業生産《こうぎょうせいさん》がさかんな地域を工業地帯《こうぎょうちたい》や工業地域《こうぎょうちいき》といい，中京工業地帯《ちゅうきょうこうぎょうちたい》が代表的である。
- 関東地方《かんとうちほう》南部から九州《きゅうしゅう》地方北部にかけては太平洋《たいへいよう》ベルトといわれ，工業地帯や工業地域が多い。

＜日本の貿易＞

- アジアの国やアメリカ合衆国《がっしゅうこく》との貿易《ぼうえき》が多く，中でも中国《ちゅうごく》との貿易が最も多い。
- 機械類《きかいるい》の貿易が輸出入《ゆしゅつにゅう》ともに最も多く，ほかに輸入品は石油《せきゆ》や石炭《せきたん》といった燃料や原料となるもの，輸出品は自動車やその部品も多い。

1 日本の工業について，次の問いに答えなさい。 5年

(1) 現在だけでなく，未来の人々も資源を使い続けられるような社会のことを何というか。

（　　　　　　　　　　社会）

(2) 太陽光発電と風力発電以外で，再生可能エネルギーを利用した発電を１つ書きなさい。

（　　　　　　　　　　発電）

(3) 工業出荷額《しゅっかがく》が最も多い工業地帯を書きなさい。

（　　　　　　　　　　工業地帯）

(4) 関東地方南部から九州地方北部にかけて，工業がさかんな地域が多いところを何というか。６文字で書きなさい。

□□□□□□

2 日本の貿易について，次の問いに答えなさい。 5年

(1) **図 1 は，2022 年に日本が輸出した金額と輸入した金額を国・地域別に合計した金額の，全体に対する割合を示したグラフである。図 1 中の A にあてはまる国はどこか。次のア～エから 1 つ選び，記号で答えなさい。**

図 1

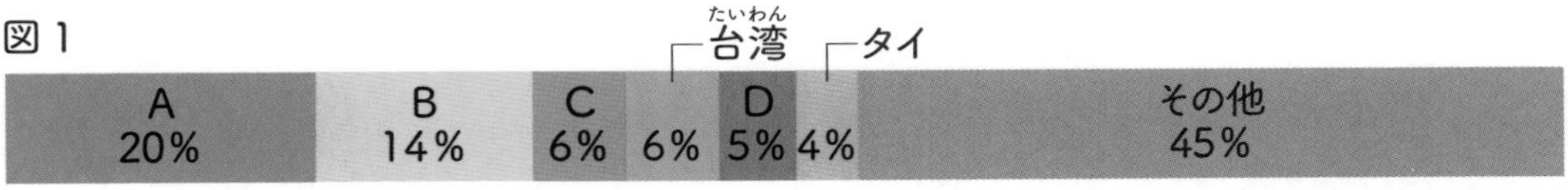

出典：『日本国勢図会　2024/25年版』

ア　韓国《かんこく》　　イ　アメリカ合衆国
ウ　中国　　エ　オーストラリア

(2) **図 2 は，2022 年における日本の輸入品別金額の，全体に対する割合を示したグラフである。図 2 中の A にあてはまるものはどれか。次のア～エから 1 つ選び，記号で答えなさい。**

図 2

出典：『日本国勢図会　2024/25年版』

ア　石油　　イ　液化天然ガス
ウ　機械類　　エ　医薬品

(3) **図 3 は，2022 年における日本の輸出品別金額の，全体に対する割合を示したグラフである。図 3 中の A にあてはまるものはどれか。次のア～エから 1 つ選び，記号で答えなさい。**

図 3

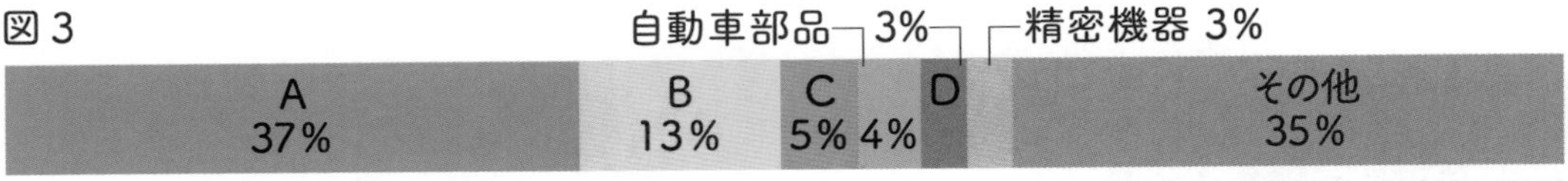

出典：『日本国勢図会　2024/25年版』

ア　自動車　　イ　機械類
ウ　プラスチック　　エ　鉄鋼《てっこう》

中学校のさきどり　貿易摩擦《ぼうえきまさつ》

輸入より輸出が多いとその国はもうかりますが，輸出より輸入が多い国はもうからないため困《こま》ることになります。このため，国と国の間で争いが起こることがあります。この争いが貿易摩擦です。

貿易黒字《ぼうえきくろじ》　輸入より輸出が多い状態のこと　　貿易赤字《ぼうえきあかじ》　輸出より輸入が多い状態のこと

貿易摩擦　貿易赤字の国が貿易黒字の国に対して，輸入を増やしたり輸出を減らしたりするよう求めて起きる争い

日本の歴史のはじまり～平安時代

目標時間 15 分　解答は別冊の P.014

復習ポイント

＜日本の歴史のはじまり＞

- 縄文《じょうもん》時代という呼《よ》び名は，おもに使用されていた土器《どき》の特徴《とくちょう》から名付けられている。
- 弥生《やよい》時代には稲作《いなさく》が広まり，石包丁《いしぼうちょう》などを使って収穫《しゅうかく》していた。
- 各地の王や豪族《ごうぞく》によって前方後円墳《ぜんぽうこうえんふん》などの古墳《こふん》がつくられた。
- 聖徳太子《しょうとくたいし》は中国《ちゅうごく》（隋《ずい》）に遣隋使《けんずいし》を送った。
- 天皇《てんのう》が中心となる国を目指して，大化《たいか》の改新《かいしん》が行われた。

＜奈良《なら》時代＞

- 稲《いね》を納《おさ》める租《そ》，織物などを納める調《ちょう》といった税《ぜい》が定められた。
- 中国（唐《とう》）の進んだ文化などを，遣唐使《けんとうし》を送って学んでいた。

＜平安《へいあん》時代＞

- 藤原氏《ふじわらし》（中臣鎌足《なかとみのかまたり》の子孫）や平氏《へいし》（平清盛《たいらのきよもり》など）が大きな力を持った。
- 『源氏物語《げんじものがたり》』など，かな文字で書かれた作品が出てきた。

1　奈良時代より前のことについて，次の問いに答えなさい。　6年

(1) 表面に縄を押し付けたあとがある土器がおもに使われたのは，何時代か書きなさい。

（　　　　　　　　　　時代）

(2) 稲《いね》の穂《ほ》をかり取ることに使った，弥生時代の道具を何というか。

（　　　　　　　　　　）

(3) 3～7世紀《せいき》ごろにつくられた，王や豪族の大きな墓を何というか。

（　　　　　　　　　　）

(4) 聖徳太子が摂政《せっしょう》のときに小野妹子《おののいもこ》などが送られた，隋への使者を何というか。

（　　　　　　　　　　）

(5) 中大兄皇子《なかのおおえのおうじ》と中臣鎌足が蘇我氏《そがし》をたおして行った，天皇を中心とする国づくりを何というか。

(　　　　　　　　　　)

2 奈良～平安時代について，次の問いに答えなさい。 6年

(1) 稲の収穫《しゅうかく》量の約 3%を納めさせた，奈良時代の税を何というか。

(　　　　　　　　　　)

(2) 奈良時代に，制度や文化を学ぶために唐に送っていた使者を何というか。

(　　　　　　　　　　)

(3) 中臣鎌足の子孫で，むすめを天皇のきさきにするなどして大きな力を持つようになった一族を書きなさい。

(　　　　　　　　　　)

(4) 紫式部《むらさきしきぶ》がかな文字で書いた，平安時代を代表する長編小説の題名を書きなさい。

(　　　　　　　　　　)

(5) 武士《ぶし》として初めて太政大臣《だいじょうだいじん》になった人物はだれか。

(　　　　　　　　　　)

中学校のさきどり　公地《こうち》・公民《こうみん》

奈良時代には天皇中心の国づくりを目指しましたが，これは公地・公民の考えに表れています。土地も人々も豪族などのものではなく，国（天皇）のものであるという考えです。

公地　班田収授法《はんでんしゅうじゅのほう》という決まりによって，6歳《さい》以上の全員に田が与えられるが，死んだらその田は国に返される。

公民　人々は戸籍《こせき》に登録され，租・調・庸《よう》や兵役《へいえき》などの負担《ふたん》が課される。

鎌倉時代／室町時代

目標時間 15 分　　解答は別冊の P.015

復習ポイント

＜鎌倉《かまくら》時代＞
- 源氏《げんじ》は平氏《へいし》を壇ノ浦《だんのうら》の戦《たたか》いでほろぼし，源頼朝《みなもとのよりとも》は征《せい》夷大将軍《いたいしょうぐん》となった。
- 将軍《しょうぐん》と武士《ぶし》とは，「ご恩《おん》と奉公《ほうこう》」の関係だった。
- 幕府《ばくふ》によって御成敗式目《ごせいばいしきもく》という法律《ほうりつ》がつくられた。
- 元寇《げんこう》といわれる元《げん》との戦いが 2 度あった。

＜室町《むろまち》時代＞
- 足利義満《あしかがよしみつ》によって金閣《きんかく》が，足利義政《あしかがよしまさ》によって銀閣《ぎんかく》が建てられた。
- 枯山水《かれさんすい》が発達するとともに，和室のもととなった書院造《しょいんづくり》も現れた。
- 雪舟《せっしゅう》によって水墨画《すいぼくが》（すみ絵《え》）が，観阿弥《かんあみ》らによって能《のう》が大成された。

I　鎌倉時代について，次の問いに答えなさい。　6年

(1) 平氏が源氏にほろぼされた戦いを書きなさい。

（　　　　　　　　）

(2) 1192 年に征夷大将軍に任命された人物はだれか。

（　　　　　　　　）

(3) 幕府が武士に領地《りょうち》を保護《ほご》したり与《あた》えたりすること（ご恩）に対して，武士が幕府のために戦ったりすることを何というか。

（　　　　　　　　）

(4) 鎌倉幕府が定めた，武士の裁判《さいばん》の基準《きじゅん》となる法律を何というか。

（　　　　　　　　）

(5) 元が 2 回にわたって日本をせめてきた出来事を何というか。

（　　　　　　　　）

2 室町時代について，次の問いに答えなさい。 6年

(1) 金閣を建てた室町幕府第 3 代将軍はだれか。

(　　　　　　　　　　)

(2) 銀閣を建てた室町幕府第 8 代将軍はだれか。

(　　　　　　　　　　)

(3) 東求堂《とうぐどう》などに見られる，現在の和室のもとになった部屋のつくりを何というか。

(　　　　　　　　　　)

(4) すみ絵（水墨画《すいぼくが》）を芸術として大成させ，多くの絵師《えし》にえいきょうを与《あた》えた人物はだれか。

(　　　　　　　　　　)

(5) 観阿弥と世阿弥《ぜあみ》によって大成された芸能《げいのう》は何か。

(　　　　　　　　　　)

(6) 龍安寺《りょうあんじ》の石庭《せきてい》などに見られる，水を使わずに，石や砂などで水のある風景を表す様式の庭園《ていえん》を何というか。

(　　　　　　　　　　)

中学校のさきどり　鎌倉幕府のおとろえ

武士たちの不満が強くなってきたこともあり，鎌倉幕府は後醍醐天皇《ごだいごてんのう》らによって 1333 年にほろぼされました。武士たちの鎌倉幕府へのおもな不満には次のようなものがありました。

- 元寇のとき，武士は幕府のために戦ったが，幕府が武士に与える領地がなかった。
- 武士は親の遺産《いさん》を受け継《つ》いでいくうちに，1 人 1 人の持つ土地が少なくなり，生活が苦しくなっていった。
- 元の攻撃《こうげき》に備《そな》えて，北条氏《ほうじょうし》一族の力を強くした。

安土桃山時代／江戸時代①

目標時間 15 分　解答は別冊の P.015

復習ポイント

＜安土桃山時代《あづちももやま》＞

・織田信長《おだのぶなが》は室町幕府《むろまちばくふ》をほろぼした後，対立していた武田《たけだ》氏《し》を長篠《ながしの》の戦《たたか》いで破った。

・刀狩《かたながり》などを行った豊臣秀吉《とよとみひでよし》は関白《かんぱく》にもなった。

・関ヶ原《せきがはら》の戦《たたか》いに勝った徳川家康《とくがわいえやす》は征夷大将軍《せいいたいしょうぐん》となった。

＜江戸《えど》時代＞

・江戸幕府は大名《だいみょう》を親藩《しんぱん》・譜代《ふだい》・外様《とざま》の 3 種類に分けて各地に配置した。

・幕府は参勤交代《さんきんこうたい》の制度を定めたり鎖国《さこく》したりして，支配を確かなものとした。

・北海道《ほっかいどう》は蝦夷地《えぞち》と呼《よ》ばれ，アイヌの人々が住んでいた。

1　安土桃山時代について，次の問いに答えなさい。　6年

(1) 室町幕府をほろぼしたのはだれか。次のア～エから 1 つ選び，記号で答えなさい。

ア　織田信長　　イ　明智光秀《あけちみつひで》
ウ　豊臣秀吉　　エ　徳川家康

(2) 織田信長が長篠の戦いで破った相手はだれか。次のア～エから 1 つ選び，記号で答えなさい。

ア　今川氏《いまがわし》　　イ　武田氏
ウ　上杉氏《うえすぎし》　　エ　足利氏《あしかがし》

(3) 朝廷《ちょうてい》から関白に任命されたのはだれか。次のア～エから 1 つ選び，記号で答えなさい。

ア　織田信長　　イ　明智光秀
ウ　豊臣秀吉　　エ　徳川家康

(4) 豊臣秀吉が百姓《ひゃくしょう》から武器を取り上げたことを何というか。次のア～エから 1 つ選び，記号で答えなさい。

ア　検地《けんち》　　イ　天下布武《てんかふぶ》
ウ　楽市《らくいち》・楽座《らくざ》　　エ　刀狩

2 江戸時代がはじまったころや，江戸時代について，次の問いに答えなさい。 6年

⑴ 豊臣秀吉の死後，徳川家康が家康に反対する大名たちと戦って勝利した，天下分け目の戦いともいわれる戦いを書きなさい。

（　　　　　　　　　　）

⑵ 1603 年に征夷大将軍に任命された人物はだれか。

（　　　　　　　　　　）

⑶ 武家諸法度《ぶけしょはっと》にも定められた，大名に対して定期的に江戸と自分の領地《りょうち》を行き来させた制度を何というか。

（　　　　　　　　　　）

⑷ 江戸時代の 3 種類の大名は，親藩と譜代と，もう 1 つは何か。

（　　　　　　　　　　）

⑸ 外国に行くことを禁止したり，長崎《ながさき》での貿易をオランダと明《みん》（中国）以外には許さなかったりしたような，外国との行き来を厳《きび》しく制限することを何というか。2 文字で書きなさい。

□□

⑹ 江戸時代，アイヌの人々が住んでいた北海道は何と呼ばれていたか。3 文字で書きなさい。

□□□

中学校のさきどり　江戸幕府による支配

江戸幕府は支配を確かなものとするために，キリスト教《きょう》の禁止や鎖国，参勤交代などさまざまなことを行いました。幕府による制限や監視《かんし》は大名や百姓・町人だけではなく，朝廷や公家《くげ》にもおよびました。

京都所司代《きょうとしょしだい》　朝廷を監視する役目を持った幕府の職

禁中並公家諸法度《きんちゅうならびにくげしょはっと》　天皇《てんのう》や公家の行動を制限した，幕府がつくった法律《ほうりつ》

江戸時代②

目標時間 15 分　解答は別冊の P.015

復習ポイント

- 浮世絵《うきよえ》が広まり，歌川広重《うたがわひろしげ》は「東海道五十三次《とうかいどうごじゅうさんつぎ》」などをえがいた。
- 近松門左衛門《ちかまつもんざえもん》が，歌舞伎《かぶき》や人形浄瑠璃《にんぎょうじょうるり》の脚本《きゃくほん》を多数書いた。
- 教育への関心が高まり，百姓《ひゃくしょう》や町人《ちょうにん》の子どもに文字などを教える寺子屋《てらこや》などが多くつくられた。
- 江戸《えど》時代中ごろに洋書の輸入ができるようになって蘭学《らんがく》が学ばれるようになり，杉田玄白《すぎたげんぱく》などがオランダ語の医学書を翻訳《ほんやく》して『解体新書《かいたいしんしょ》』と名づけて出版したり，伊能忠敬《いのうただたか》が正確な日本地図をつくったりした。
- 国学《こくがく》が広まり，医者でもあった本居宣長《もとおりのりなが》は『古事記伝《こじきでん》』を書いた。
- 大きなききんが何度かあり，大塩平八郎《おおしおへいはちろう》による反乱《はんらん》などが起きた。
- 浦賀《うらが》にペリーが来航し，1854 年に日米和親条約《にちべいわしんじょうやく》，1858 年に日米修好《にちべいしゅうこう》通商条約《つうしょうじょうやく》が結ばれ，日本は開国《かいこく》して近代的な国になっていった。

1 江戸時代について，次の問いに答えなさい。 6年

(1)「東海道五十三次」をえがいた，江戸《えど》の下級武士《ぶし》の家に生まれたという浮《うき》世絵師《よえし》はだれか。

(　　　　　　　　　　　　　　)

(2) 町や村で，百姓や町人の子どもたちに読み書きやそろばんなどを教えるところを何というか。

(　　　　　　　　　　　　　　)

(3) 江戸時代，洋書が輸入できるようになって学ばれるようになった，オランダ語を通して学ぶ西洋の学問を何というか。

(　　　　　　　　　　　　　　)

(4) 江戸時代に全国を測量して，現在のものに近い正確な日本地図をつくった人物はだれか。

(　　　　　　　　　　　　　　)

2 江戸時代について，次の問いに答えなさい。 6年

(1) 杉田玄白などがオランダ語から翻訳した医学書の，日本語の題名を書きなさい。

(　　　　　　　　　　　　)

(2)『古事記伝』を書いた，伊勢《いせ》の医者でもあった人物はだれか。

(　　　　　　　　　　　　)

(3) 天保《てんぽう》の大ききんのときに大阪《おおさか》で反乱を起こした元役人はだれか。

(　　　　　　　　　　　　)

(4) 1853 年に日本に来たアメリカ合衆国《がっしゅうこく》のペリーは，大統領《だいとうりょう》からの手紙を持って今の神奈川県《かながわけん》のどこに来航したか書きなさい。

(　　　　　　　　　　　　)

(5) アメリカ合衆国との間で 1854 年に結び，鎖国《さこく》を終わらせた条約を何というか。

(　　　　　　　　　　　　)

(6) アメリカ合衆国との間で 1858 年に結び，貿易《ぼうえき》を始めた条約を何というか。

(　　　　　　　　　　　　)

中学校のさきどり　条約のえいきょう

大老《たいろう》（幕府《ばくふ》最高の職）の井伊直弼《いいなおすけ》によって，日本は条約を結んでアメリカ合衆国と貿易を開始することになりましたが，この条約を結ぶのに朝廷《ちょうてい》の許可はありませんでした。このことで次のようなえいきょうがありました。

朝廷の許可なしに条約を結ぶ　→　幕府反対派がさかんになる
→　幕府反対派を処罰《しょばつ》する（安政《あんせい》の大獄《たいごく》）　→　井伊直弼が暗殺される（桜田門外《さくらだもんがい》の変《へん》）
→　幕府の権威《けんい》が落ちる　→　幕府滅亡《めつぼう》へ

明治時代①

目標時間 15 分　解答は別冊の P.015

復習ポイント

- 1868 年，明治天皇《めいじてんのう》の名で新しい政治の方針である五箇条《ごかじょう》の御誓文《ごせいもん》が出され，新しい時代が始まった。
- 藩《はん》を廃止《はいし》して県《けん》と府《ふ》を置く廃藩置県《はいはんちけん》や，税《ぜい》を米ではなく現金で納《おさ》めることにする地租改正《ちそかいせい》などのさまざまな改革《かいかく》が行われた。大久保利通《おおくぼとしみち》や木戸孝允《きどたかよし》によって改革が進められた。
- 改革が進められる中，西郷隆盛《さいごうたかもり》を中心とする西南戦争《せいなんせんそう》など，生活に不満をもつ士族による反乱があいついだ。
- 政府《せいふ》は，経済を発展させ，強い軍隊《ぐんたい》を持とうとした。これを富国強兵《ふこくきょうへい》という。
- 板垣退助《いたがきたいすけ》らによって，国会《こっかい》を開くことなどを求める自由民権運動《じゆうみんけんうんどう》が広がり，1889 年に大日本帝国憲法《だいにっぽんていこくけんぽう》がつくられた。
- 伊藤博文《いとうひろぶみ》は内閣《ないかく》制度をつくるとともに，初代内閣総理大臣《ないかくそうりだいじん》になった。
- 国会が開設されるにあたり，板垣退助は自由党《じゆうとう》を，大隈重信《おおくましげのぶ》は立憲改進《りっけんかいしん》党《とう》をつくった。
- 初めての選挙《せんきょ》では，一定額以上の納税《のうぜい》をしていた 25 歳《さい》以上の男性にしか選挙権《せんきょけん》がなかった。
- 1894 年，外務大臣陸奥宗光《むつむねみつ》は，イギリスとの間で領事裁判権《りょうじさいばんけん》を廃止することに成功した。
- 1894 年，朝鮮《ちょうせん》をめぐって日清戦争《にっしんせんそう》が起きた。
- 福沢諭吉《ふくざわゆきち》は『学問のすゝ《す》め』を著した。

1 明治時代について，次の問いに答えなさい。 6年

(1)「五箇条の御誓文」とは何か，簡単《かんたん》に説明しなさい。

(　　　　　　　　　　　　　　　　　　　　　　　　　　)

(2) 廃藩置県とは何をどのようにしたことか，簡単に説明しなさい。

(　　　　　　　　　　　　　　　　　　　　　　　　　　)

(3) 地租改正とは何をどのようにしたことか，簡単に説明しなさい。

(　　　　　　　　　　　　　　　　　　　　　　　　　　)

(4) 富国強兵とはどういう意味か，簡単に説明しなさい。

(　　　　　　　　　　　　　　　　　　　　　　　　　　)

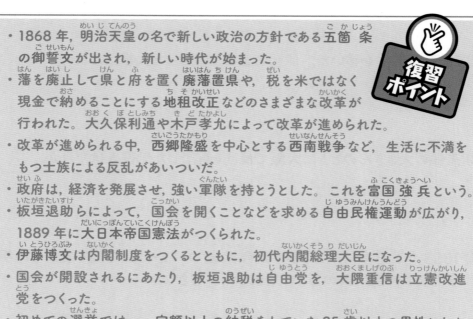

2 明治時代について，次の問いに答えなさい。 6年

(1) 板垣退助を中心とした自由民権運動が国に開くよう求めていた，国民《こくみん》の代表者が話し合う場を何というか。

(　　　　　　　　　　　　　　　)

(2) 初代内閣総理大臣になり，憲法づくりに力を注いだ人物はだれか。

(　　　　　　　　　　　　　　　)

(3) 1889 年に発布《はっぷ》された憲法の正式な名前を何というか。

(　　　　　　　　　　　　　　　)

(4) 日本初の選挙が行われたときの選挙権が与《あた》えられるための条件を，国民であること以外で 1 つ書きなさい。

(　　　　　　　　　　　　　　　)

(5) 1894 年にイギリスとの条約《じょうやく》を改正して廃止された，日本国内で罪をおかしたイギリス人を裁《さば》くイギリスの権利《けんり》を何というか。

(　　　　　　　　　　　　　　　権)

(6) 朝鮮で起きた内乱《ないらん》をきっかけに日本から朝鮮に軍隊《ぐんたい》を送って，1894 年に始まった戦争を何というか。

(　　　　　　　　　　　　　　　)

中学校のさきどり　政府《せいふ》と地方《ちほう》との関係

廃藩置県などによって，政府と地方との関係が変わりました。また，この時期に沖縄《おきなわ》が日本の一部とされました。

1869 年　各藩主《はんしゅ》が土地と住民《じゅうみん》を朝廷《ちょうてい》に返した（版籍奉還《はんせきほうかん》）

1871 年　廃藩置県を行い，県・府には政府の役人が送られて政治を行うことになった

1872 年　琉球王国《りゅうきゅうおうこく》を琉球藩《りゅうきゅうはん》として日本のものとした

1879 年　沖縄で廃藩置県を行い，琉球藩を沖縄県にした（琉球処分《りゅうきゅうしょぶん》）

明治時代②／大正時代／昭和時代①

目標時間 15 分　解答は別冊の P.016

復習ポイント

<明治《めいじ》～大正《たいしょう》時代>

- 日露戦争《にちろせんそう》の日本海海戦《にほんかいかいせん》では，東郷平八郎《とうごうへいはちろう》に指揮された日本海軍が勝利した。
- 日本は日露戦争《にちろせんそう》で樺太《からふと》（サハリン）の南部などを得た。
- 1910 年，日本は韓国併合《かんこくへいごう》をし，日本の一部にした。
- 1911 年，外務大臣小村寿太郎《こむらじゅたろう》は関税自主権《かんぜいじしゅけん》を回復した。
- 1914 年，ヨーロッパで第一次世界大戦《だいいちじせかいたいせん》が起きた。
- 1922 年，差別《さべつ》をなくすために京都《きょうと》で全国水平社《ぜんこくすいへいしゃ》がつくられるなど，この時期は民主主義《みんしゅしゅぎ》や人権《じんけん》への意識が高まっていた。
- 野口英世《のぐちひでよ》は黄熱病《おうねつびょう》の研究を行った。このころ日本の科学が発展する基礎がつくられた。

<昭和《しょうわ》時代>

- 日中戦争《にっちゅうせんそう》は 1937 年，アメリカ合衆国《がっしゅうこく》などとの太平洋戦争《たいへいようせんそう》は 1941 年に始まり，1945 年 8 月 15 日に終わった（国民に戦争の終了が伝えられた）。
- 1940 年，日本，ドイツ，イタリアは 3 か国で軍事同盟《ぐんじどうめい》を結んだ。
- 戦争が進むにつれて都市部では空襲《くうしゅう》が激《はげ》しくなり，小学生は地方《ちほう》の寺などに政府によって疎開《そかい》させられた。
- 1945 年 8 月，6 日には広島《ひろしま》に，9 日には長崎《ながさき》に原子爆弾《げんしばくだん》が落とされた。

1 明治～大正時代について，次の問いに答えなさい。 6年

(1) 1904 年に始まり，樺太の南部や満州《まんしゅう》の鉄道を日本が得た戦争を何というか。

（　　　　　　　　　　　　）

(2) 1910 年に，韓国を日本の一部（領土）にしたことを何というか。

（　　　　　　　　　　　　）

(3) 1914 年にヨーロッパで起きて，日本も加わった世界的な戦争を何というか。

（　　　　　　　　　　　　）

(4) 身分《みぶん》制度がなくなってからも続いていた差別をなくすことを目的とした，1922 年に京都でつくられた団体を何というか。

（　　　　　　　　　　　　）

2 昭和時代について，次の問いに答えなさい。 6年

(1) 1937 年に北京郊外《ペキンこうがい》での戦いから始まり，1945 年に終わった戦争を何というか。

(　　　　　　　　　　)

(2) 1940 年に日本が軍事同盟を結んだ国はイタリアと，もう 1 つはどこか書きなさい。

(　　　　　　　　　　)

(3) アメリカ合衆国やイギリスなどと戦った太平洋戦争は，何年に始まったか書きなさい。

(　　　　　　　　年)

(4) 戦争中，空襲による被害《ひがい》をさけるため，都市部の小学生を地方の寺などに避難《ひなん》させたことを何というか。2 文字で書きなさい。

□□

(5) 長崎に原子爆弾が落とされた年月日を書きなさい。

(　　　　年　　　月　　　日)

(6) 日中戦争と太平洋戦争が終わった年月日を書きなさい。

(　　　　年　　　月　　　日)

中学校のさきどり　日本による朝鮮半島の支配

日清戦争も日露戦争も，朝鮮半島をめぐる諸国の対立が関係していました。日本による朝鮮半島の支配は強化されていき，独立《どくりつ》運動も起きましたが，日本が敗戦《はいせん》するまで続きました。

1905 年　韓国の外交権《がいこうけん》をうばう　　1907 年　韓国皇帝《こうてい》を退位《たいい》させ，軍隊も解散させる

1910 年　韓国併合をし，日本の一部にする

1919 年　朝鮮半島全体で三《さん》・一《いち》独立運動が起きる

昭和時代②

目標時間 **15** 分　解答は別冊の P.016

復習ポイント

- 民主主義《みんしゅしゅぎ》国家となるため，小作《こさく》農家が農地を持てるようにする農地改革《のうちかいかく》や女性の参政権《さんせいけん》を認めるなど，連合国軍《れんごうこくぐん》は戦後改革《せんごかいかく》といわれるさまざまな改革を行った。
- 1946 年，日本国憲法《にほんこくけんぽう》が公布《こうふ》された。
- 朝鮮半島《ちょうせんはんとう》が 2 国に分かれ，朝鮮戦争《ちょうせんせんそう》が起きた。
- 1951 年，日本は 48 か国と平和条約《へいわじょうやく》を結んで独立《どくりつ》を回復したが，その後も沖縄《おきなわ》などはアメリカ合衆国《がっしゅうこく》が統治《とうち》し続けた。
- 2 度の世界大戦《せかいたいせん》を反省して国際平和のために国際連合《こくさいれんごう》がつくられ，日本も 1956 年に加盟《かめい》した。
- 高度経済成長《こうどけいざいせいちょう》の時期に東海道新幹線《とうかいどうしんかんせん》や高速道路などがつくられるとともに，アジアで初めてのオリンピックが東京《とうきょう》で開かれるなどした。
- 沖縄は 1972 年に返還《へんかん》された。

1　戦後《せんご》の昭和《しょうわ》時代について，次の問いに答えなさい。 6年

(1) 戦後に連合国軍の指導で行われた，女性に参政権を認めるなどの民主主義国家となるためのさまざまな改革をまとめて何というか。

(　　　　　　　　　　)

(2) それまで農地を借りて農業《のうぎょう》をしていた人も，自分の農地を持てるようにした改革を何というか。

(　　　　　　　　　　)

(3) 1946 年に公布され，1947 年に施行《しこう》された憲法の正式な名前を何というか。

(　　　　　　　　　　)

(4) 日本が，アメリカ合衆国をはじめとする 48 か国と平和条約を結んだ年を書きなさい。

(　　　　　　　　年)

2 戦後の昭和時代について，次の問いに答えなさい。 6年

(1) 1950年に大韓民国《だいかんみんこく》（韓国《かんこく》）と朝鮮民主主義人民共和国《ちょうせんみんしゅしゅぎじんみんきょうわこく》（北朝鮮《きたちょうせん》）との間で起きた戦争を何というか。

（　　　　　　　　　　）

(2) 国際社会の平和を守るためにつくられ，日本が1956年に加盟した組織を何というか。

（　　　　　　　　　　）

(3) 1964年に初めて開業した高速鉄道を何というか。6文字で書きなさい。

□□□□□□

(4) 1964年の東京オリンピックが開かれたころの，急速に日本の産業や経済が発展していた状態を何というか。

（　　　　　　　　　　）

(5) 日本では1964年の東京オリンピックが開かれたころに多く建設された，高速で走れる自動車専用の道路を何というか。4文字で書きなさい。

□□□□

(6) 戦後からアメリカ合衆国が統治し続けていて，1972年に日本に返還《へんかん》された地域はどこか。

（　　　　　　　　　　）

中学校のさきどり　となりの国での戦争

日本は第二次世界大戦《だいにじせかいたいせん》後はどこの国とも戦争はしていません。しかし，となりの国である韓国《かんこく》と北朝鮮《きたちょうせん》が戦争を始めたことで，日本に大きなえいきょうがありました。

特需景気《とくじゅけいき》　戦争にともなってアメリカ軍が日本で物をたくさん買ったことで，日本の経済が良くなった

自衛隊《じえいたい》　日本は戦後改革で軍隊《ぐんたい》をなくしたが，連合国軍の指令《しれい》で軍隊に代わる組織をつくり，1954年には現在の自衛隊に発展した

政治

目標時間 15 分 解答は別冊の P.016

復習ポイント

- 日本国憲法《にほんこくけんぽう》の３つの原則として，基本的人権《きほんてきじんけん》の尊重《そんちょう》や，戦《せん》争《そう》をしないといった平和主義《へいわしゅぎ》，国民主権《こくみんしゅけん》（国民に主権があること）がある。
- だれもが生まれたときから人間として当然に持っている，法律《ほうりつ》でもおかされない権利《けんり》を基本的人権という。
- 内閣《ないかく》の助言《じょげん》と承認《しょうにん》にもとづく天皇《てんのう》の仕事として，法律の公布《こうふ》や衆議院《しゅうぎいん》の解散《かいさん》などが日本国憲法に定められている。
- 日本国憲法には納税《のうぜい》の義務《ぎむ》などの３つの国民の義務が定められている。
- 法律をつくったり変えたりできるのは国会《こっかい》だけである。
- 予算《よさん》を決めるのは国会だが，予算案を国会に提出するのは内閣《ないかく》である。
- 裁判所《さいばんしょ》には，法律などが憲法に違反《いはん》していないかを調べる仕事がある。
- 政治に参加するために必要な情報を知るために情報公開制度《じょうほうこうかいせいど》がある。
- 障《しょう》がいの有無《うむ》などに関係なく地域の中で生活できる，ノーマライゼーションの考えにもとづいた社会が目指されている。

1 憲法の３つの原則について，次の問いに答えなさい。 6年

(1) 戦争をしないことや軍隊《ぐんたい》を持たないことは，日本国憲法の３つの原則のうちどれに当てはまるか書きなさい。

（　　　　　　　　　　）

(2) 法律でもおかされない，人間らしく生きるための権利を何というか。

（　　　　　　　　　　）

(3) 日本国憲法では，だれが主権を持っていると定められているか書きなさい。

（　　　　　　　　　　）

(4) 日本国憲法に定められている天皇の仕事を１つ書きなさい。

（　　　　　　　　　　）

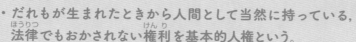

2 政治と社会について，次の問いに答えなさい。 6年

(1) 日本国憲法で定められている国民の義務は，子どもに教育を受けさせる義務，働く義務と，もう１つは何であるか書きなさい。

（　　　　　　　　　　）

(2) 法律をつくったり，内閣総理大臣《ないかくそうりだいじん》を選んだりする機関を何というか。

（　　　　　　　　　　）

(3) 予算案を国会に提出したり，法律や予算にもとづいて国の政治を行ったりする機関を何というか。

（　　　　　　　　　　）

(4) 政治や法律などが憲法に違反していないかを，調べて解決する仕事を行う機関を何というか。

（　　　　　　　　　　）

(5) 国や市《し》などが持っている，主権者《しゅけんしゃ》として政治に関わるために必要な情報などを国民や住民《じゅうみん》に知らせる制度のことを何というか。

（　　　　　　　　　　）

(6) 障がいの有無などに関係なく，だれもが地域の中でふつうに生活するという考え方を何というか。カタカナ 10 文字で書きなさい。

□□□□□□□□□□

中学校のさきどり　違憲審査制《いけんしんさせい》

日本では，日本国憲法に違反した政治や法律などは一切認《みと》められないことになっています。そこで，違憲審査制という仕組みを取り入れています。

- 違憲審査制　政治や法律などが憲法に違反していないかどうかを，裁判所が裁判で調べる仕組み
- 憲法《けんぽう》の番人《ばんにん》　最高《さいこう》裁判所のこと。最終的に裁判をするところでもあるため，このようによばれている

テスト 4

DAY 4 TEST

目標時間 2 分

解答は別冊のP.017

1 地理について，次の問いに答えなさい。

(1) 緯度《いど》は0度から何度まであるか書きなさい。

(　　　　　　　　度)

(2) 日本の東のはしにある島を何というか。

(　　　　　　　　)

(3) 国内で生産された食料品の量が，国内で食べられている全食料品の量に占《し》める割合を何というか。

(　　　　　　　　率《りつ》)

(4) 現在だけでなく，未来の人々も資源《しげん》を使い続けられるような社会のことを何というか。

(　　　　　　　　社会)

2 公民について，次の問いに答えなさい。

(1) 日本国憲法《にほんこくけんぽう》の3つの原則は，国民主権《こくみんしゅけん》，平和主義《へいわしゅぎ》と，もう1つは何であるか書きなさい。

(　　　　　　　　)

(2) 国会《こっかい》以外にはつくれない，国の決まりを何というか。

(　　　　　　　　)

3 歴史について，次の問いに答えなさい。

(1) 聖徳太子《しょうとくたいし》が中国に小野妹子《おののいもこ》などの使者を送ったときの，中国《ちゅうごく》の国名は何というか。

（　　　　　　　　　　）

(2) 中臣鎌足《なかとみのかまたり》の子孫で，むすめを天皇《てんのう》のきさきにするなどして大きな力を持つようになった一族を書きなさい。

（　　　　　　　　　　）

(3) 金閣《きんかく》を建てた室町幕府《むろまちばくふ》第 3 代将軍《しょうぐん》はだれか。

（　　　　　　　　　　）

(4) 江戸《えど》時代に，大名《だいみょう》が江戸と自分の領地《りょうち》を定期的に往復させられていたことを何というか。

（　　　　　　　　　　）

(5) 江戸幕府が 1858 年に結んだ，アメリカ合衆国《がっしゅうこく》と貿易《ぼうえき》を始めることになった条約《じょうやく》を何というか。

（　　　　　　　　　　）

(6) 朝鮮《ちょうせん》で起きた内乱《ないらん》をきっかけに日本から朝鮮に軍隊《ぐんたい》を送って，1894 年に始まった戦争《せんそう》を何というか。

（　　　　　　　　　　）

(7) 北京郊外《ペキンこうがい》での戦いから 1937 年に始まった戦争を何というか。

（　　　　　　　　　　）

(8) アジアで初めてのオリンピックが東京《とうきょう》で開かれた年を書きなさい。

（　　　　　　　　　　年）

昆虫・生き物と自然

目標時間 15 分　解答は別冊の P.017

復習ポイント

＜昆虫《こんちゅう》＞

・からだは，**頭部《とうぶ》**（頭），**胸部《きょうぶ》**（胸），**腹部《ふくぶ》**（腹）の3つの部分からできている。

・頭部には，目と，形や大きさ，味やにおいを感じる**触角《しょっかく》**がある。

・胸部には**3対6本**のあしがある。(クモ類のあしは，頭胸部《とうきょうぶ》に4対8本)

・胸部に**はね**のある昆虫がいる（ないものもいる）。
（2対4枚→チョウ，カブトムシなど　1対2枚→ハエなど　なし→アリなど）

・モンシロチョウやカブトムシなどは，**卵→幼虫→さなぎ→成虫の順**に成長する。

・バッタやカマキリなどは，**卵→幼虫→成虫の順**に成長する（さなぎにならない）。

＜生き物と自然＞

・生き物の間には，食べる・食べられるの関係がある（食物連鎖《しょくもつれんさ》）。

・生き物の間の食べる・食べられるの関係は，**植物から**始まる。

・生き物は，**酸素**をとり入れ，**二酸化炭素**を出している。

・植物は，**二酸化炭素をとり入れて，酸素を出す**はたらきをもつ。

1 昆虫について，次の問いに答えなさい。 3年 4年

(1) 昆虫のからだは，右の図のように，ア～ウの3つの部分に分けられる。それぞれ，何というか。

ア（　　　）イ（　　　）ウ（　　　）

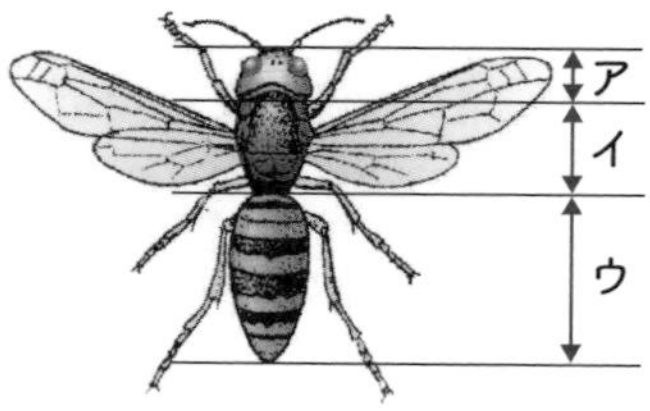

(2) 昆虫のあしは，(1)の図のア～ウのうち，どの部分についているか。1つ選び，記号で答えなさい。

□

(3) 昆虫のあしは，何本あるか。

（　　　本）

(4) 次のア～ウの動物のうち，昆虫であるものを1つ選び，記号で答えなさい。

ア　カマキリ　　イ　ムカデ　　ウ　ダンゴムシ

□

(5) 次のア～ウの昆虫のうち，さなぎにならないものを１つ選び，記号で答えなさい。

ア　アゲハ　　イ　クワガタ　　ウ　バッタ

(6) 次のア～ウの昆虫のうち，卵で冬を越《こ》すものを１つ選び，記号で答えなさい。

ア　カマキリ　　イ　カブトムシ　　ウ　ナナホシテントウ

(7) 次のア～ウのうち，モンシロチョウの幼虫が食べるものと，成虫が食べるものはどれか。それぞれ１つ選び，記号で答えなさい。

ア　キャベツの葉　　イ　クヌギの木のしる　　ウ　アブラナの花のみつ

幼虫　　成虫

2 生き物と自然について，次の問いに答えなさい。 6年

(1) 次の文のA，Bにあてはまる生き物を，下のア～ウから1つずつ選び，記号で答えなさい。
バッタは（　A　）や（　B　）に食べられる。また，（　A　）は（　B　）に食べられる。

ア　ヘビ　　イ　カブトムシ　　ウ　カエル

A　　B

(2) 次のア～ウのうち，(1)のような食べる・食べられるの関係の始まりとなる生き物はどれか。1つ選び，記号で答えなさい。

ア　ウシなどの草食動物　　イ　ムギなどの植物
ウ　タカなどの肉食動物

(3) 次のア～ウのうち，二酸化炭素をとり入れて酸素を出している生き物はどれか。1つ選び，記号で答えなさい。

ア　メダカ　　イ　ダンゴムシ　　ウ　ミカヅキモ

中学校のさきどり　動物の分類

動物は，からだのつくりや特徴《とくちょう》をもとにして，次のように分類できる。

・背骨をもつ動物のなかま（セキツイ動物）
　ホニュウ類…イヌ，ライオンなど　　鳥類…ニワトリ，ハトなど
　ハチュウ類…ヘビ，カメなど　　両生類…カエルなど　　魚類…メダカ，サケなど
・背骨をもたない動物のなかま（無セキツイ動物）
　節足《せっそく》動物…昆虫，クモなど　　軟体《なんたい》動物…イカ，アサリなど　　その他…ヒトデ，ウニなど

植物のつくりとはたらき

目標時間 15 分　解答は別冊の P.017

復習ポイント

＜植物のつくり＞
- 植物のからだは，**根**，**茎**《くき》，**葉**の3つの部分にわけられる。
- 植物の花には，**がく**，**花びら**，**おしべ**，**めしべ**というつくりがある。
- ヘチマやカボチャなど，**雄花**《おばな》と**雌花**《めばな》がさくものもある。
- 植物の**種子**《しゅし》には**デンプン**などがふくまれ，芽を出すために使われる。

＜植物のはたらき＞
- 種子が発芽する条件は**空気**，**水**，**適当な温度**。
- 植物がよく育つためには，**光**（日光）や**肥料**も必要。
- 植物の葉は，光が当たると**デンプン**をつくる。
- 植物は，**根**から水を吸い，葉から水蒸気を出す（**蒸散**）。
- 花がさき，**受粉**すると，実や種子ができる。

1　植物のつくりについて，次の問いに答えなさい。　5年

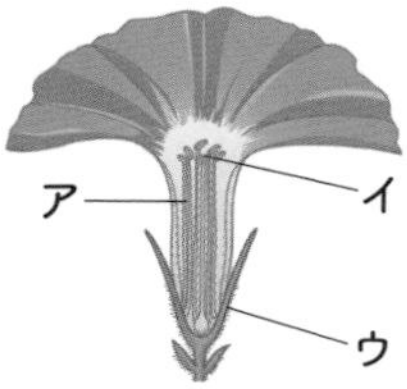

(1) 右の図は，アサガオの花のつくりを表している。ア～ウの部分をそれぞれ何というか。

ア（　　　　）イ（　　　　）

ウ（　　　　）

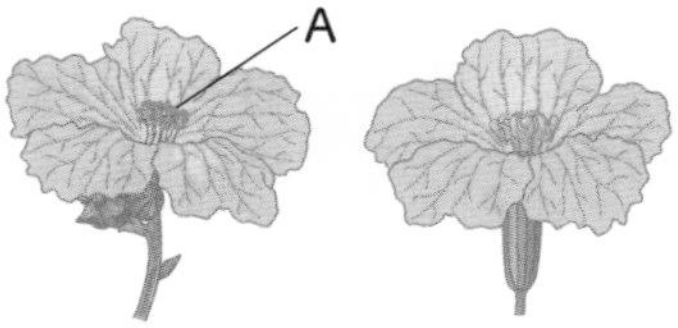

(2) 右の図は，ヘチマの花のつくりを表している。Aの部分を何というか。次のア～ウから1つ選び，記号で答えなさい。

ア　めしべ　　イ　おしべ　　ウ　がく

(3) 次のア～ウのうち，雄花と雌花がさく植物はどれか。

ア　カボチャ　　イ　タンポポ　　ウ　ヒマワリ

2　植物のはたらきについて，次の問いに答えなさい。　5年　6年

(1) 次のア～ウのうち，トウモロコシの種子に多くふくまれている養分はどれか。1つ選び，記号で答えなさい。

ア　タンパク質　　イ　脂肪《しぼう》　　ウ　デンプン

(2) 植物の種子が発芽するための条件は，空気と水のほかに，何があるか。

（　　　　　　）

(3) 次のア～ウのうち，植物の成長に直接関係しないものはどれか。1つ選び，記号で答えなさい。

ア　日光　　イ　土　　ウ　肥料

□

(4) 植物の花粉が，めしべの先につくことを何というか。（　　　　　　）

(5) 次のア～ウのうち，根のはたらきでないものはどれか。1つ選び，記号で答えなさい。

ア　からだを支える　　イ　水を吸収する
ウ　二酸化炭素をとり入れる

□

(6) 植物の葉に光が当たるとつくられる養分は何か。（　　　　　　）

(7) 次のア～ウのうち，(6)の養分があることを確かめるのに使う薬品はどれか。

ア　ヨウ素液　　イ　リトマス紙　　ウ　アンモニア水

□

(8) (6)の養分に(7)の薬品を加えると何色になるか。次のア～ウから1つ選び，記号で答えなさい。

ア　赤色　　イ　青むらさき色　　ウ　黄色

□

(9) 植物がからだの中にとり入れた水は，おもにどこから出ていくか。

ア　葉　　イ　根　　ウ　実

□

中学校のさきどり　植物の分類

植物は，つくりや特徴《とくちょう》によって，次のように分類される。

・花がさき，種子をつくる植物（種子植物）
　被子《ひし》植物（子房《しぼう》がある）…タンポポ，アサガオなど（双子葉類《そうしようるい》）　トウモロコシ，ユリなど（単子葉類）
　裸子《らし》植物（子房がない）…マツ，イチョウなど
・種子をつくらず，胞子《ほうし》でふえる植物
　シダ植物…イヌワラビ，スギナなど　コケ植物…スギゴケ，ゼニゴケなど

人の体・生き物の誕生

目標時間 **15** 分　　解答は別冊の **P.017**

復習ポイント

＜人の体＞
- 骨には，**体を支える**はたらきや，**内臓を守る**はたらきがある。
- 骨と骨のつなぎ目を**関節**《かんせつ》といい，**筋肉**《きんにく》のはたらきで関節が曲がる。
- 肺で体の中に酸素をとり入れるとともに，二酸化炭素を出している。
- 食べ物は口や胃，小腸などを通る間に**消化**され，養分は**小腸**で**吸収**される。
- 吸収された養分の一部は**肝臓**《かんぞう》にたくわえられる。
- 酸素や養分，不要物は，**血液**によって運ばれる。
- 血液は**心臓**のはたらきによって体中をめぐっている。
- 血液中の不要物は，**腎臓**《じんぞう》でこしとられ，**尿**《にょう》として体の外に出される。

＜生き物の誕生＞
- メスの卵《らん》にオスの精子《せいし》が結びつくことを**受精**《じゅせい》という。
- メダカは卵でうまれ，受精から10日程度でかえる。
- 人の子（**胎児**《たいじ》）は母親の体の中で育ち，受精からおよそ38週間でうまれる。
- 胎児は，へその緒《お》を通して，母親から酸素や養分を受け取っている。

1　人の体について，次の問いに答えなさい。　4年　6年

(1) 骨と骨のつなぎ目で，体を曲げることができる部分を何というか。

（　　　　　　）

(2) 次の文のA，Bにあてはまる言葉を，下のア～ウから1つずつ選び，記号で答えなさい。

肺では，（　A　）をとり入れて，（　B　）を出している。

ア　酸素　　イ　窒素　　ウ　二酸化炭素　　A □　B □

(3) 次のア～エを，口からとり入れられた食べ物が通る順に並べかえ，記号で答えなさい。

ア　小腸　　イ　胃
ウ　食道　　エ　大腸

□ → □ → □ → □

(4) ご飯をよくかんで食べると，甘《あま》みを感じることがある。この理由にあてはまるものを，次のア・イから1つ選び，記号で答えなさい。

ア　だ液に甘い味がついているから
イ　デンプンが消化されるから

(5) 次のア～ウのうち，腎臓のはたらきはどれか。1つ選び，記号で答えなさい。

ア　尿をつくる　　イ　吸収した養分の一部をたくわえる
ウ　血液を全身に送り出す

(6) 次のア～ウのうち，血液によって運ばれないものはどれか。1つ選び，記号で答えなさい。

ア　酸素　　イ　養分　　ウ　尿

2　生き物の誕生について，次の問いに答えなさい。　5年

(1) オスの精子とメスの卵が結びつくことを何というか。（　　　　　）

(2) 次のア～オは，メダカの卵が育っていくようすを表している。アで始まり，オで終わるようにして，イ～エを正しい順番に並べかえ，記号で答えなさい。

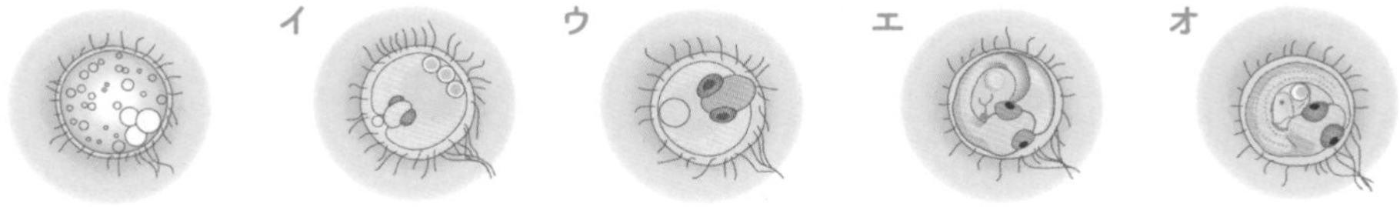

ア →　□　→　□　→　□　→ オ

(3) 右の図は，人の胎児のようすを表している。胎児はAの部分で母親と養分や酸素，不要物などをやり取りしている。Aを何というか。

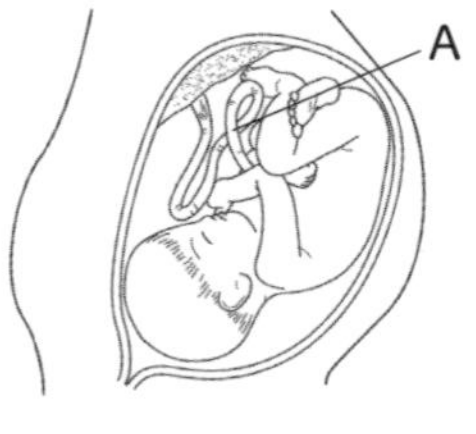

（　　　　　）

中学校のさきどり　消化酵素《しょうかこうそ》

だ液や胃液などの消化液には食べた物を消化する消化酵素がふくまれている。消化酵素には，決まったものだけを消化する，体温付近でよくはたらく，自身は変化せず，何度もはたらくことができるなどの性質がある。主な消化酵素は次の通り。

アミラーゼ…だ液などにふくまれ，デンプン（炭水化物）を消化する。
ペプシン…胃液などにふくまれ，タンパク質を消化する。
リパーゼ…すい臓から出るすい液などにふくまれ，脂肪を消化する。

ものの性質

目標時間 15分　解答は別冊の P.018

復習ポイント

＜氷・水・水蒸気＞
- 水は，温度によって**水蒸気**《すいじょうき》や**氷**にすがたを変える。
- 氷がとける温度（**融点**《ゆうてん》）は0℃，水が沸騰《ふっとう》する温度（**沸点**）は100℃。
- 100℃より低い温度でも，水は**蒸発**《じょうはつ》して水蒸気に変わる。
- 同じ重さの水と氷では，氷の体積のほうが大きい。
- とじこめた空気にちぢめようとする力を加えると体積が小さくなる。一方，水に力を加えても，体積は変わらない。

＜ものの温度と体積＞
- 空気や（液体の）水，金属などは，あたためると体積が増えて，冷やすと体積が減る。
- 体積の変わり方は，空気が最も大きく，金属が最も小さい。

＜もののあたたまり方＞
- 金属は，あたためたところから順に熱が伝わる（**伝導**《でんどう》）。
- 空気や水は，温度の高い部分が上に，温度の低い部分が下に移動する（**対流**《たいりゅう》）。

1 水のすがたについて，次の問いに答えなさい。 4年

(1) 次の文のA，Bにあてはまる言葉を，次のア～ウから１つずつ選び，記号で答えなさい。

水をあたためると，およそ100℃で沸騰して（　A　）になる。また，水を冷やすと，0℃で（　B　）になる。

ア　氷　　イ　水蒸気　　ウ　空気

A □　B □

(2) 右の図のようにして，水を加熱する。次のア～ウのうち，沸騰石《ふっとうせき》を入れる理由として最も適当なものはどれか。1つ選び，記号で答えなさい。

ア　すばやく加熱するため
イ　水をかきまぜるため
ウ　急な沸騰をふせぐため

□

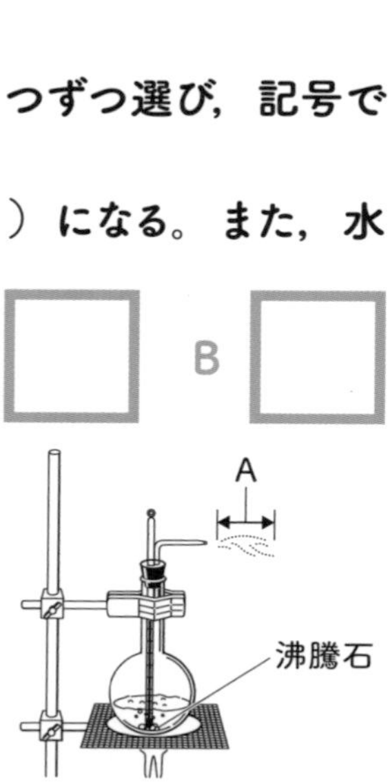

(3) (2)の装置で水が沸騰しているとき，Aのように白い湯気《ゆげ》がみられた。次のア～ウのうち，湯気はどのすがたか。1つ選び，記号で答えなさい。

ア　氷（固体）　　イ　水（液体）　　ウ　水蒸気（気体）

□

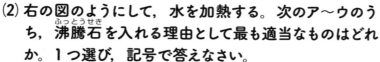

(4) ぬれている洗濯物《せんたくもの》が乾《かわ》いたり，晴れた日に水たまりがなくなったりするのは，100℃より低い温度でも水が水蒸気に変化するからである。この変化を何というか。

（　　　　　　　　）

(5) ビーカーに水を入れ，水面の位置に印をつけた。この水をこおらせたとき，氷の上端はどこにあるか。次のア～ウから１つ選び，記号で答えなさい。

ア　印よりも上にある　　イ　印と同じ高さにある
ウ　印よりも下にある

(6) (5)でビーカーに入れた水が氷になったとき，全体の重さはどうなるか。次のア～ウから1つ選び，記号で答えなさい。

ア　増える　　イ　減る　　ウ　変わらない

2　もののあたたまり方について，次の問いに答えなさい。 4年

(1) 空気・水・鉄球のそれぞれをあたためたときの体積の増え方を，大きい順に並べたものはどれか。次のア～ウから１つ選び，記号で答えなさい。

ア　空気，水，鉄球　　イ　水，鉄球，空気
ウ　鉄球，空気，水

(2) 右の図の銅板の表面には，全体にろうがうすくぬってある。×印の位置を加熱したとき，点ア～点ウを，ろうが早くとける順に並べかえ，記号で答えなさい。

（　　→　　→　　）

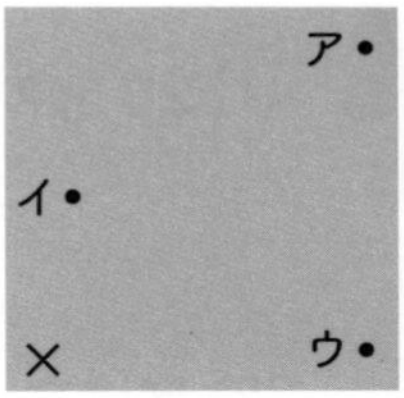

(3) ガスバーナーを使って，試験管に入れた水をあたためる。水全体を早くあたためるときに加熱する位置として最も適当なものを，右の図のア～ウから１つ選びなさい。

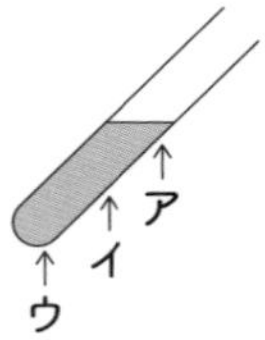

中学校のさきどり　状態変化

水以外の物質も，温度によって固体や液体，気体などにすがたを変える（状態変化）。例：窒素は約－196℃で液体になる。ドライアイス（二酸化炭素の固体）は，固体から直接気体に変わる。

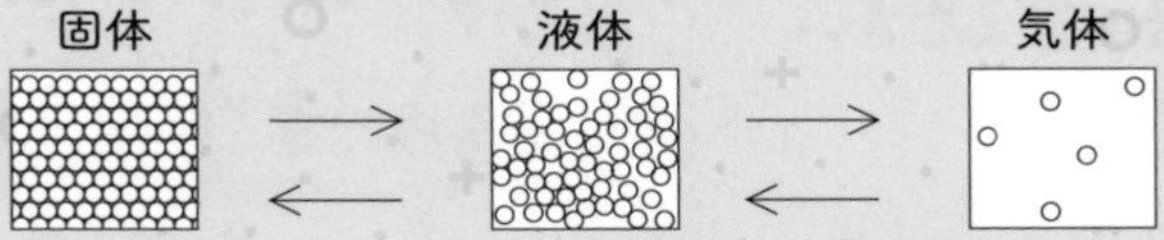

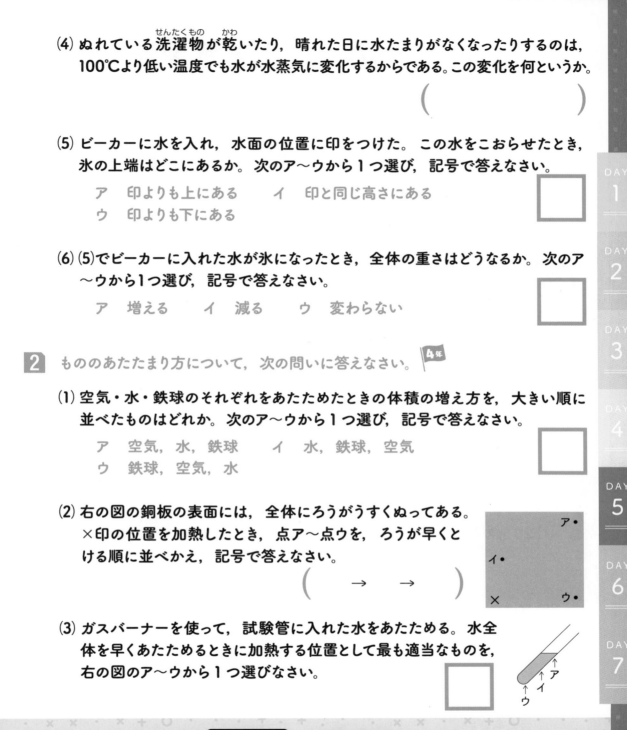

ものの溶け方と水溶液

目標時間 15 分 解答は別冊の P.018

復習ポイント

＜ものの溶《と》け方＞

- 水溶液《すいようえき》とは，ものを水に溶かした液体。水にはものが均一に溶ける。
- 水溶液の重さは，**水の重さ＋溶かしたものの重さ**で表される。
- ある量の水にものを溶かすとき，溶ける量には**限度**がある。
- 水の**量**や**温度**によって，溶ける量が変わる。
- 水を**蒸発《じょうはつ》させたり**，水溶液を**冷やしたり**すると，溶けていたものが出てくる。
- 水溶液を冷やして出てきた固体（**結晶《けっしょう》**）は，**ろ過**によってとり出すことができる。

＜水溶液＞

- 水溶液には，固体だけでなく，液体や気体が溶けているものがある。
- 水溶液には，**酸性・中性・アルカリ性**という性質がある。
  酸性の水溶液は**青色**リトマス紙を**赤色**に，アルカリ性の水溶液は**赤色**リトマス紙を**青色**に変える。

1 ものの溶け方について，次の問いに答えなさい。 5年

(1) 20 gの砂糖を，100 gの水にすべて溶かした。できた砂糖水は何gか。

（　　g）

(2) 次のア～ウのうち，水に溶けにくいものはどれか。1つ選び，記号で答えなさい。

ア　食塩　　イ　デンプン　　ウ　ホウ酸

□

(3) 次のア～ウのうち，溶ける量が変わらない操作はどれか。1つ選び，記号で答えなさい。

ア　水の量を増やす　　イ　水の温度を上げる
ウ　溶かすものを細かくくだく

□

(4) 次のア～ウのうち，食塩水から食塩をとり出すのに最も適した方法はどれか。1つ選び，記号で答えなさい。

ア　水を蒸発させる　　イ　水溶液を冷やす
ウ　水の量を増やす

□

(5) 右の図は，ろ過のようすを表しているが，1か所間違《まちが》っている。ア～ウのうち，間違っている部分を1つ選び，記号で答えなさい。

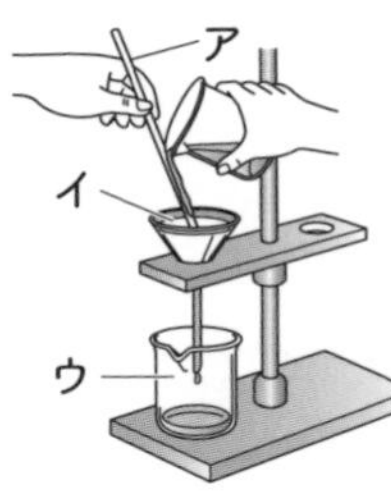

2 水溶液について，次の問いに答えなさい。 6年

(1) 次のア～ウのうち，気体が溶けている水溶液はどれか。1つ選び，記号で答えなさい。

ア　食塩水　　イ　アルコール水溶液　　ウ　アンモニア水

(2) 次のア～ウのうち，水を蒸発させると白いものが残る水溶液はどれか。1つ選び，記号で答えなさい。

ア　うすい塩酸　　イ　アンモニア水
ウ　うすい水酸化ナトリウム水溶液

(3) 次のア～ウのうち，赤色リトマス紙を青色に変える性質をもつ水溶液はどれか。1つ選び，記号で答えなさい。

ア　うすい塩酸　　イ　アンモニア水　　ウ　食塩水

(4) うすい塩酸に，鉄片を入れるとどうなるか。1つ選び，記号で答えなさい。

ア　あわを出して溶ける　　イ　あわを出さずに溶ける
ウ　何も起こらない（溶けない）

中学校のさきどり　電離《でんり》とイオン，中和

・水に溶けるとき，イオンというつぶに分かれる（電離する）ものがある。
例：水酸化ナトリウムは水に溶けると，ナトリウムイオンと水酸化物イオンに電離する。
・酸性の水溶液には水素イオンが，アルカリ性の水溶液には水酸化物イオンがふくまれている。
・酸性の水溶液とアルカリ性の水溶液を混ぜると，水素イオンと水酸化物イオンがくっついて，水ができる。このようにして，互いの性質を打ち消し合う反応を中和という。

ものの燃え方／光と音の性質

目標時間 15 分　　解答は別冊の P.018

復習ポイント

＜ものの燃え方＞

- ものが燃えるためには，**空気（酸素）**，**燃えるもの（燃料）**，**高い温度（熱）**が必要。
- 酸素は，空気中に，体積の割合でおよそ**21%**ふくまれている。
- 空気中に最も多くふくまれる気体は**窒素**《ちっそ》で，およそ**78%**である。
- 木片などが燃えると，酸素が使われて，**二酸化炭素**が発生する。
  ものが燃え続けるには，**外から空気（酸素）をとり入れる**必要がある。
- 二酸化炭素の発生を確かめるには，**石灰水**や**気体検知管**を使う。

＜光と音の性質＞

- 光はまっすぐ進む（**直進**する）。光がものにぶつかると，反対側に**かげ**ができる。
- 鏡を使うと，光を**反射**《はんしゃ》させることができる。
- 虫めがねを使うと，**光を集める**ことができる。
- ものに日光を当てると，**明るく**なったり，**あたたかく**なったりする。
- 音は，物体の**振動**《しんどう》が，そのまわりの物質（空気，水，木，鉄など）を次々と振動させることで伝わる。

1　ものの燃え方について，次の問いに答えなさい。　6年

(1) 右の図は，空気中に含まれる気体の割合を表している。A，Bにあてはまる気体の名前を次のア〜ウから１つずつ選び，記号で答えなさい。

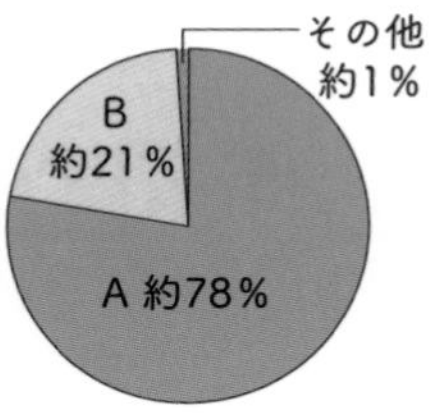

ア　酸素　　イ　窒素
ウ　二酸化炭素

A □　　B □

(2) ふたをした集気びんの中でろうそくを燃やし，火が消えた後でろうそくをとり出し，石灰水を加えてから再度ふたをしてよく振《ふ》った。石灰水の変化として正しいものはどれか。次のア〜ウから１つ選び，記号で答えなさい。

ア　黒くにごった　　イ　白くにごった　　ウ　変化なし

□

(3) (2)の結果から，ろうそくが燃えた後の空気は，燃える前の空気と比べて，何が増えたことがわかるか。次のア〜ウから１つ選び，記号で答えなさい。

ア　酸素　　イ　窒素　　ウ　二酸化炭素

□

(4) 図のように，空き缶に割りばしを入れて，割りばしを燃やす実験をする。割りばしがよく燃えるようにするには，ア～ウのどこに穴をあければよいか。1つ選び，記号で答えなさい。

(5) アルコールランプは，ふたをすると火が消える。このとき，ものが燃える条件の何がなくなったか。次のア～ウから１つ選び，記号で答えなさい。

ア　酸素　　イ　燃料　　ウ　温度

2 光の性質について，次の問いに答えなさい。

(1) 校庭に棒を立てたところ，かげが北向きにできた。このとき，太陽はどの方角にあるか。東西南北のどれかで答えなさい。

(　　　)

(2) 図のように，鏡を２枚使って，日かげにあるかべに光を当てた。図のア～ウのうち，一番あたたかいのはどこか。1つ選び，記号で答えなさい。

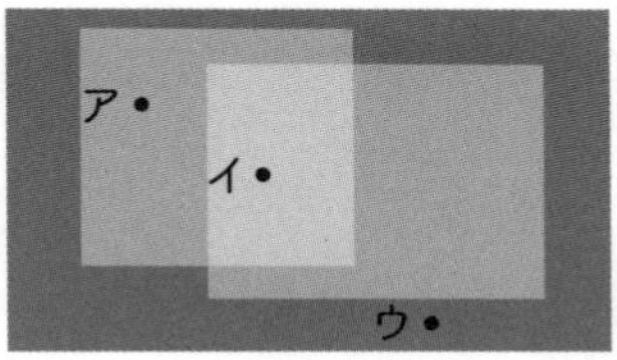

(3) 図のように，黒く塗《ぬ》ったボール紙に虫めがねをかざして，光を集めた。次のア～ウのうち，ボール紙が最も早くこげるものはどれか。1つ選び，記号で答えなさい。

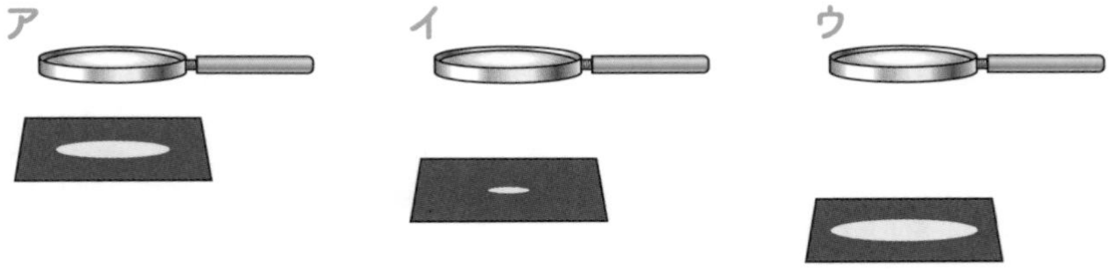

中学校のさきどり　光の屈折《くっせつ》と凸《とつ》レンズ

・光が空気中から水中やガラス中へ進むときなど，違うものの中を（ななめに）進むとき，境界面で折れ曲がる。これを光の屈折という。
・虫めがねのように中央がふくらんだレンズを凸レンズという。
・凸レンズに平行に入った光は，凸レンズで屈折して，ある１点を通って進む。この点を焦点《しょうてん》といい，焦点は凸レンズの両側に１つずつある。

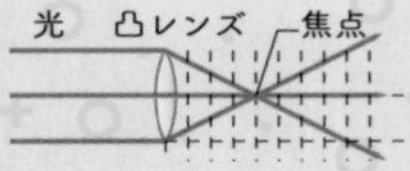

電気のはたらき・磁石と電磁石

目標時間 15 分　解答は別冊の P.018

復習ポイント

<電気のはたらき>

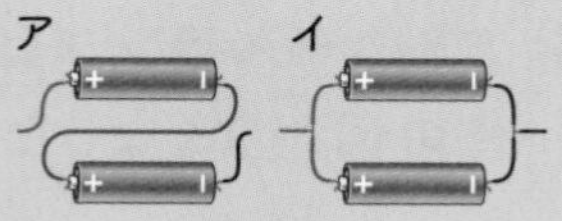

・電流は，電池の**＋極**《プラスきょく》から**−**《マイナス》**極**に向かって流れる。

・図アのようなつなぎ方を乾電池《かんでんち》の**直列**《ちょくれつ》つなぎ，図イのようなつなぎ方を乾電池の**並列**《へいれつ》つなぎという。

・乾電池2個を直列につなぐと，回路《かいろ》に流れる電流が強くなる。並列に2個つないでも電流の強さは1個のときと変わらない。

・鉄やアルミニウムなどの**金属**《きんぞく》は電気を通し，紙・ガラス・プラスチック・木などは電気を通さない。

・電気は，**発電機**でつくったり，**コンデンサー**にたくわえたりできる。

<磁石《じしゃく》>

・**N極とS極**があり，同じ極はしりぞけ合い，ちがう極は引きつけ合う。

・棒磁石を自由に回転できるようにすると，**N極が北**を指す。

・**鉄を引きつける**。銅やアルミニウムなどは引きつけられない。

<電磁石《でんじしゃく》>

・コイルに鉄心を入れて電流を流すと，鉄心は磁石の性質をもつようになる。

・電磁石の強さは，**コイルの巻き数，鉄心の有無，電流の強さ**による。

1 電気のはたらきについて，次の問いに答えなさい。　3年　4年　6年

(1) 右の図のAB間につないだとき，豆電球が光るものはどれか。次のア～ウから1つ選び，記号で答えなさい。

ア　割りばし　　イ　ガラス　　ウ　鉄くぎ

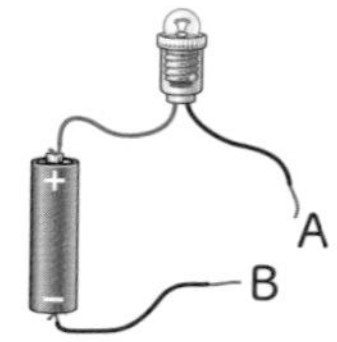

(2) 右の図の回路《かいろ》では，風車が矢印の向きに回る。電池の＋極，−極を逆につなぐと，風車の回り方はどうなるか。次のア～ウから1つ選び，記号で答えなさい。

ア　速くなる　　イ　逆になる
ウ　変わらない

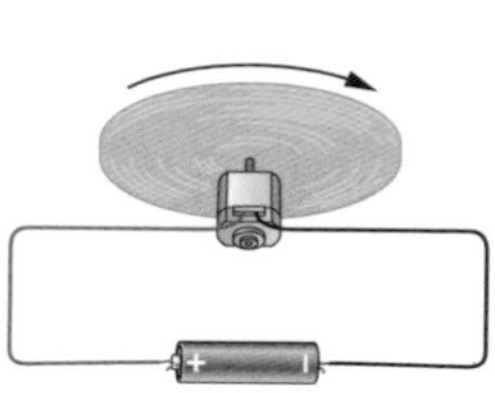

(3) 豆電球に，乾電池を右の図のア，イのようにつなぐとき，豆電球が長い時間光り続けるものはどちらか。1つ選び，記号で答えなさい。

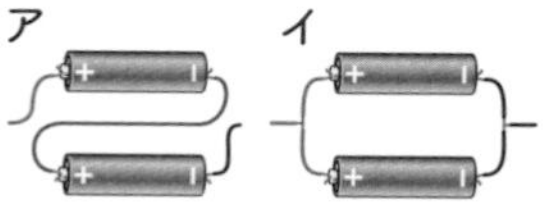

⑷ 明るさが同じ豆電球と発光ダイオードを，それぞれ新しい乾電池につないで，光り続ける時間を比べた。結果を次のア～ウから1つ選び，記号で答えなさい。

ア　豆電球のほうが長く光った　　イ　発光ダイオードのほうが長く光った
ウ　どちらも同じ時間光った

□

2 磁石と電磁石について，次の問いに答えなさい。 3年 5年

⑴ 次のア～ウのうち，磁石に引きつけられるものはどれか。1つ選び，記号で答えなさい。

ア　鉄くぎ　　イ　アルミニウムはく　　ウ　ガラス

□

⑵ 方位磁針で北を指すのは何極か。 （　　極）

⑶ 次のア～ウのうち，電磁石を強くする方法として間違《まちが》っているものはどれか。1つ選び，記号で答えなさい。

ア　コイルの巻き数を増やす　　イ　電流を強くする
ウ　鉄心を割りばしに変える

□

⑷ 次のア～ウのうち，電磁石だけにあてはまる性質はどれか。1つ選び，記号で答えなさい。

ア　鉄を引きつける　　イ　強さを変えられる
ウ　N 極だけにできる

□

⑸ 図の装置で，電流が流れている間，コイルが回転を続けるようにする。Aの部分はどうすればよいか，次のア～ウのうちから1つ選び，記号で答えなさい。

ア　塗料《とりょう》を全部はがす
イ　塗料を半分はがす
ウ　塗料をはがさない

□

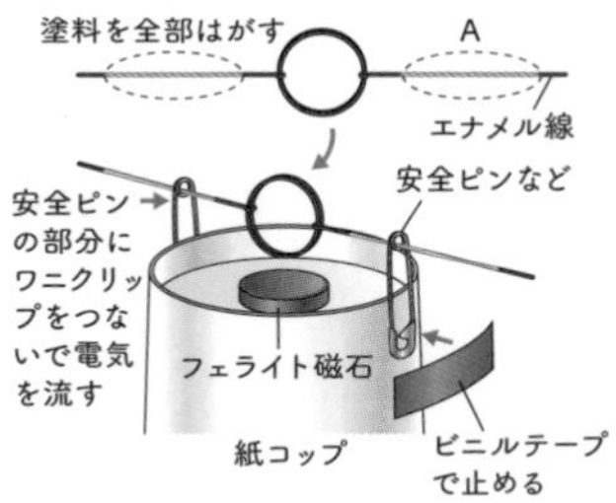

中学校のさきどり　電流の正体

・電流は，電子《でんし》という非常に小さいつぶが，たくさん移動することで起こる。
・図のような装置で，電子が流れていることを確かめられる。
・電子は，電源の－極から＋極に向かって動く（電流と逆向きになっている）。

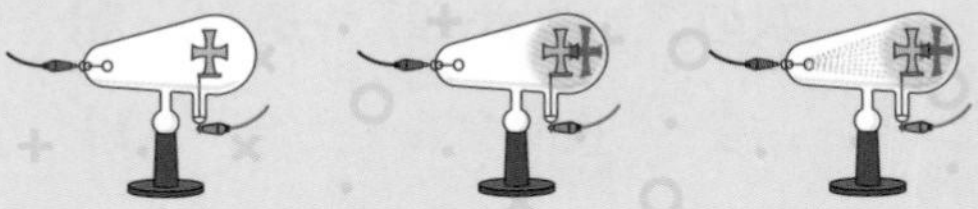

ものの動き

目標時間 15 分　解答は別冊の P.019

復習ポイント

＜振り子＞

・図1のような装置《そうち》を振《ふ》り子《こ》という。

・振り子が1往復するのにかかる時間を**周期**という。

・振り子の長さが**長く**なるほど，振り子の周期は**長く**なる。

・振り子の**振れ幅**やおもりの**重さ**は，振り子の周期に**関係しない**。

図1

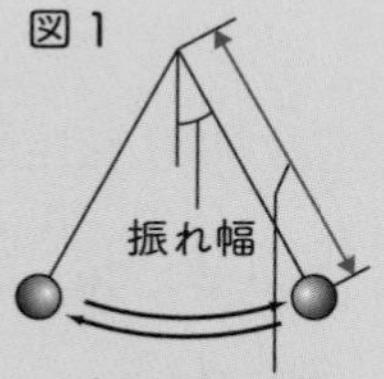

＜てこのつり合い＞

・左右のうでの，**おもりの重さ×支点からの距離《きょり》**が等しいとき，てこはつり合う（図2）。

図2　(例)3×2＝2×3 となっている

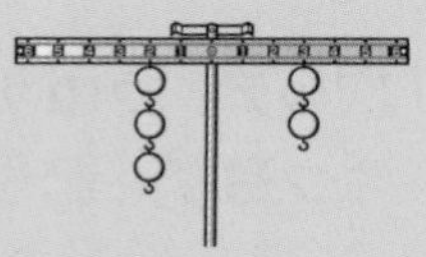

＜てこの利用＞

・てこの3点（図3）…支点，力点，作用点

・てこを利用した道具には，くぎ抜きやピンセットなどがある（図 4）。

図3

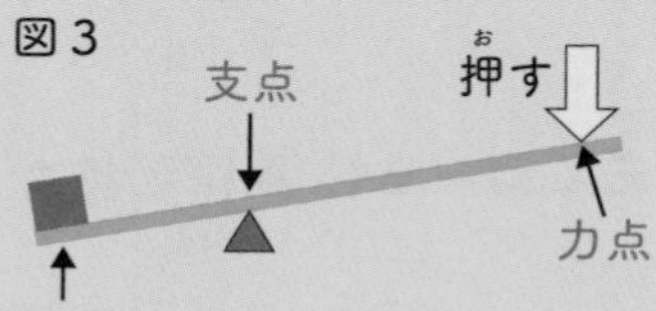

図4　くぎ抜き　　ピンセット

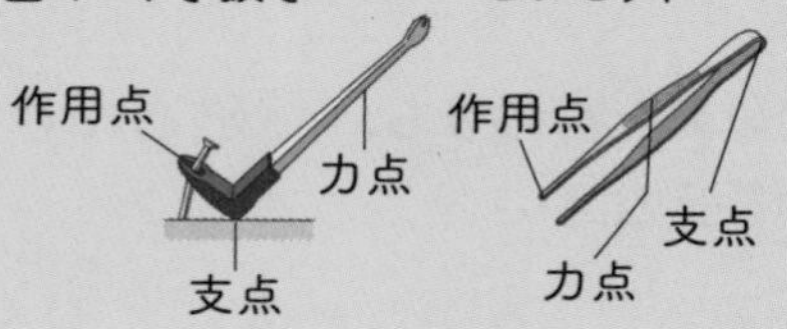

1　振り子について，次の問いに答えなさい。 5年

図1

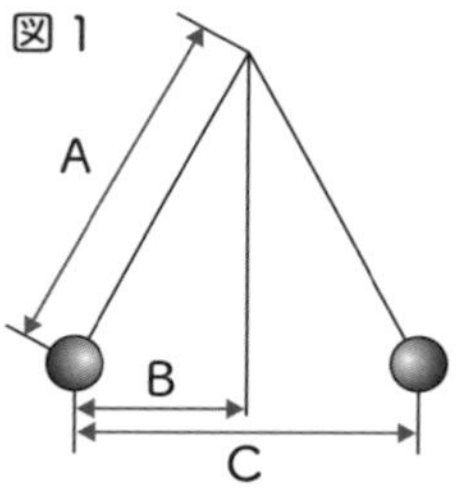

(1) 図1のA～Cのうち，振り子の長さを表しているのはどれか。1つ選び，記号で答えなさい。

□

(2) 図1の振り子で，Aを長くすると，振り子の周期はどうなるか。次のア～ウから1つ選び，記号で答えなさい。

ア　長くなる　　イ　短くなる　　ウ　変わらない

□

(3) 図1の振り子で，おもりを軽いものに変えると，振り子の周期はどうなるか。次のア～ウから1つ選び，記号で答えなさい。

ア　長くなる　　イ　短くなる　　ウ　変わらない

□

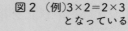

2 てこのつり合いについて，次の問いに答えなさい。ただし，おもりはすべて同じ重さとする。6年

図1

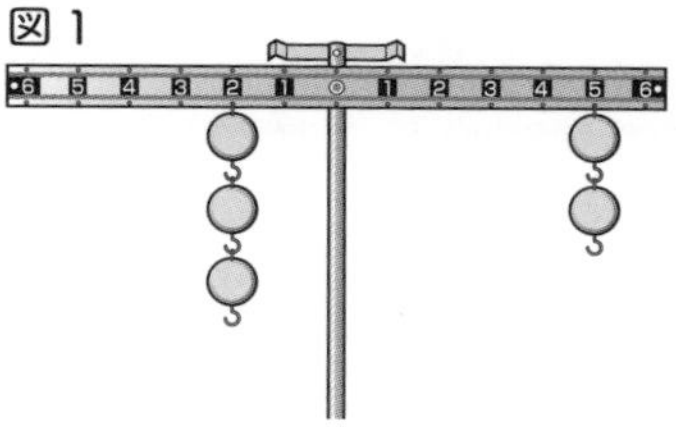

(1) 図1のてこは，このあとどうなるか。次のア～ウから1つ選び，記号で答えなさい。

ア　右のうでが下がる
イ　左のうでが下がる
ウ　水平につり合う

図2

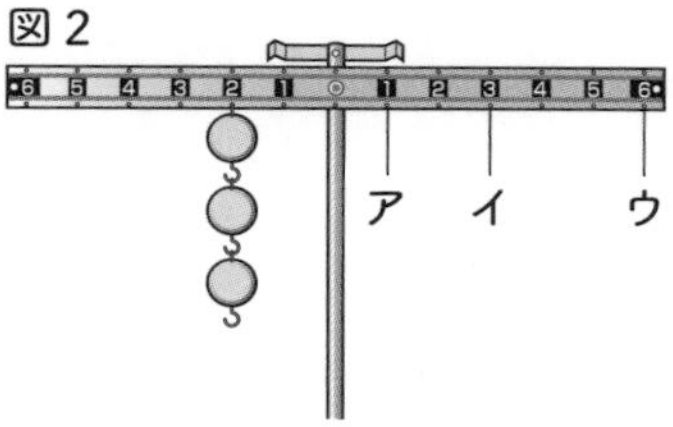

(2) 図2のてこのア～ウのいずれかに，おもりを1個だけつるして，てこをつり合わせる。どこにつるせばよいか。1つ選び，記号で答えなさい。

図3

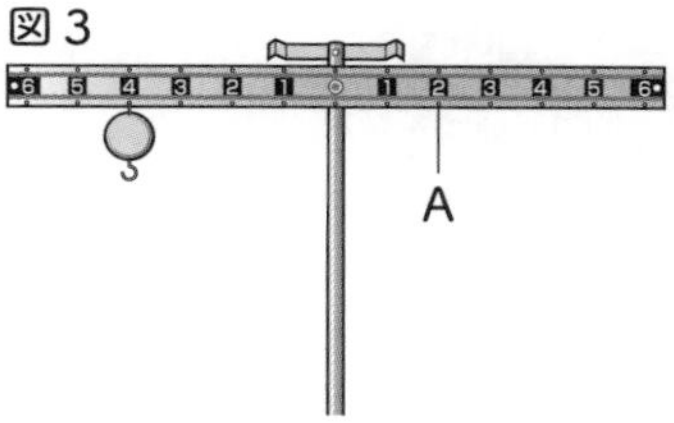

(3) 図3の点Aにおもりをつるして，てこをつり合わせる。おもりを何個つるせばよいか。

（　　　　個）

3 てこの利用について，次の問いに答えなさい。6年

図1

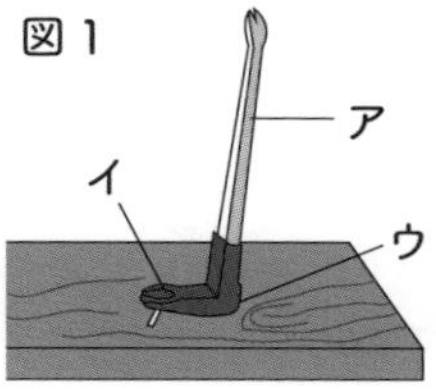

(1) 図1のア～ウのうち，作用点はどれか。1つ選び，記号で答えなさい。

図2

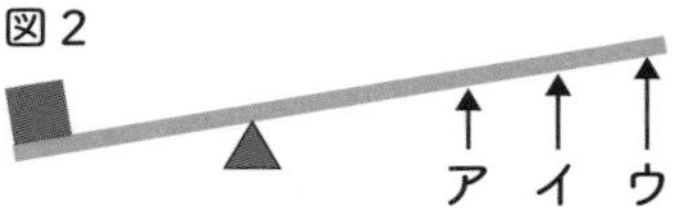

(2) 図2のように，てこを使ってものを持ち上げる。加える力が最も小さくなるのは，ア～ウのうち，どの点に力を加えたときか。1つ選び，記号で答えなさい。

中学校のさきどり　仕事の原理

・物体に力を加えて動かすとき，物体に仕事をするという。
仕事の大きさ＝力の大きさ×動かした距離《きょり》
・てこを使って仕事をするときは，てこを使わずに同じ仕事をするときと比べて，力の大きさは小さくなるが，動かす距離が長くなるので，仕事の大きさは変わらない。これを仕事の原理という。

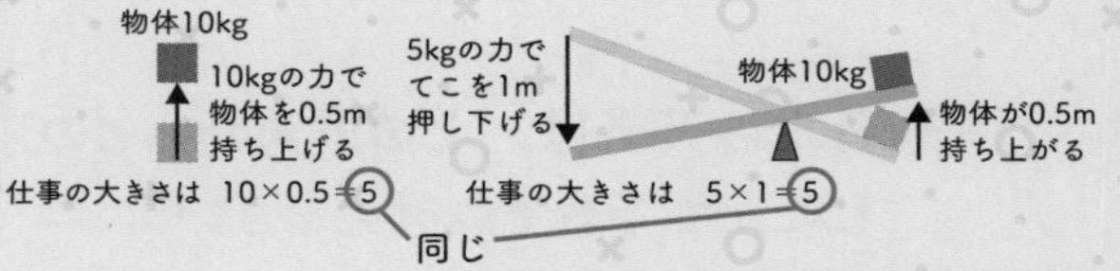

※実際には，力の大きさはNという単位で表す。

天気と大地の変化

目標時間 15 分　解答は別冊の P.019

復習ポイント

＜天気＞

- 最高気温と最低気温の差は，晴れた日で大きくなり，くもりや雨の日は小さくなる。
- 雲が西から東へ動くので，日本の天気は**西から東**にかけて変化。
- **台風**は，夏から秋にかけて日本にやってくることが多い。

＜流れる水のはたらき＞

- 流れる水には，砂や小石などをけずるはたらき（**侵食**《しんしょく》），運ぶはたらき（**運搬**《うんぱん》），積もらせるはたらき（**堆積**《たいせき》）の3つのはたらきがある。
- 流れが速いほど侵食と運搬のはたらきが大きくなり，流れが遅いほど堆積のはたらきが大きくなる。
- 上流では大きな石が多いが，下流では小さい石が多くなる。
- 台風などで大雨が降ると，川の水の量が増えることがある。
- 川が曲がって流れているところは，外側のほうが速い。

＜大地の変化＞

- **地層**《ちそう》は，流れる水のはたらきや火山の噴火《ふんか》によってできる。
- 水のはたらきによって運搬されてきた**小石（れき）・砂・どろ**や，火山の噴火で降った**火山灰**などが堆積し，地層ができる。
- 地上で見える地層は湖や海の底でできた後，地上に持ち上げられた。
- **化石**は，地層中にある，昔の生物の骨や生活のあとが変化したもの。

1　天気について，次の問いに答えなさい。　4年　5年

(1) 図は，ある日の気温の変化のようすを表している。この日の天気を次のア～ウから1つ選び，記号で答えなさい。

ア　晴れ　　イ　くもり　　ウ　雨

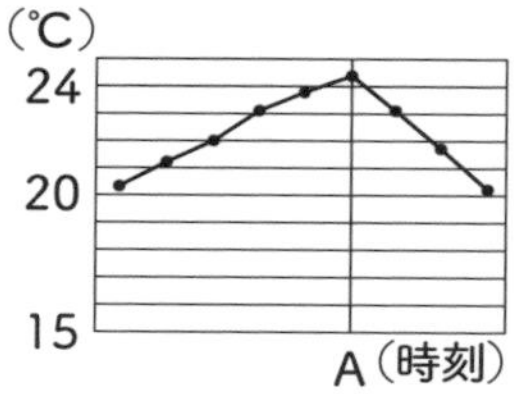

(2) 図の時刻Aは何時ごろか。次のア～ウから１つ選び，記号で答えなさい。

ア　午前 10 時ごろ　　イ　正午ごろ　　ウ　午後2時ごろ

(3) 日本の天気は，どの方角からどの方角に向かって移り変わるか。東西南北のどれかでそれぞれ答えなさい。

（　　　から　　　）

2 流れる水のはたらきについて，次の問いに答えなさい。 5年

(1) 次のア～ウのうち，水の流れが遅くなるほど大きくなるはたらきはどれか。1つ選び，記号で答えなさい。

ア　侵食　　イ　運搬　　ウ　堆積

(2) 次のア～ウのうち，川の上流でよく見られる石の特徴《とくちょう》はどれか。1つ選び，記号で答えなさい。

ア　大きくて角ばっている　　イ　小さくて丸い
ウ　アとイの中間のような特徴

(3) 水を入れた水そうに，砂・どろ・小石を混ぜたものを入れて，よくかき混ぜてからしばらくおいた。早く積もったものから順に，次のア～ウを並べかえ，記号で答えなさい。

ア　砂　　イ　どろ　　ウ　小石　　（　　→　　→　　）

3 大地の変化について，次の問いに答えなさい。 6年

(1) 右の図は，地層のようすを表している。Bの火山灰の層ができたときに起こったこととして最も適当なものを次のア～ウから1つ選び，記号で答えなさい。

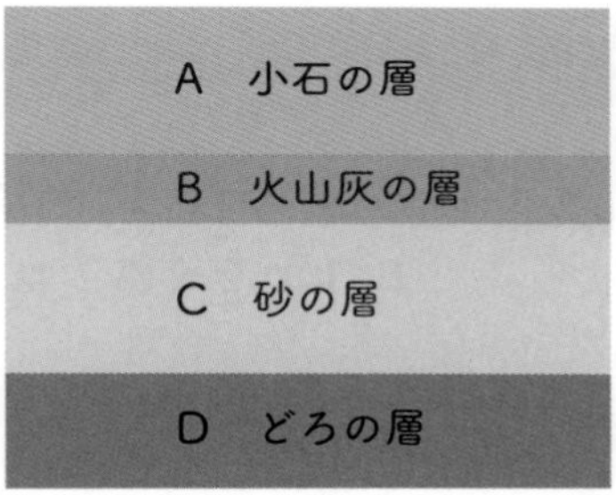

ア　地震　　イ　大雨
ウ　火山の噴火

(2) 昔の生物の骨や生活のあとなどが，地層ができる間に変化して石となったものを何というか。

（　　　　）

中学校のさきどり　化石（示相《しそう》化石と示準《しじゅん》化石）

地層にふくまれる化石のうち，地層ができたときの環境を知る手掛《てが》かりになる化石を示相化石という。
　例：サンゴ，アサリなど
地層ができたときの時代がわかる化石を示準化石という。
　例：恐竜，ナウマンゾウなど

太陽・星・月

目標時間 15 分　解答は別冊の P.019

復習ポイント

＜太陽＞

- 日本では，太陽は，東からのぼって，南を通り，西へしずむ。
- 太陽の光が当たると，あたたまる（このあたたまり方を**放射**《ほうしゃ》という）。

＜星＞

- 星によって，**明るさ**や**色**はちがう。（例：さそり座のアンタレスは赤い）
- 最も明るい星が**1等星**，肉眼ではほとんど見えない星が6等星。
- 季節によって見える星座がちがう。（例：はくちょう座…夏，オリオン座…冬）

＜月＞

- 月は毎日少しずつ満ち欠けをする。満月から次の満月まで，約 30 日かかる。
- 月は太陽の光を反射している。太陽との位置関係で見え方が変わる。（図 1）

図 1

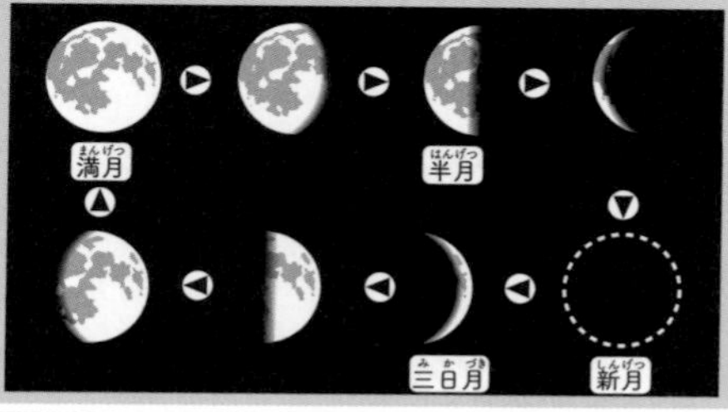

1 太陽について，次の問いに答えなさい。 3年

(1) 日本では，太陽はどの方角からのぼって，どの方角にしずむか。東西南北のどれかでそれぞれ答えなさい。

（　　　　から　　　　）

(2) 1日のうち太陽が最も高いところに見えるとき，太陽はどの方角に見えるか。東西南北のどれかで答えなさい。

□

(3) 右の図のように地面に棒を立てて，かげの動きを観察した。棒のかげが一番短くなるのはいつか。次のア～ウから1つ選び，記号で答えなさい。

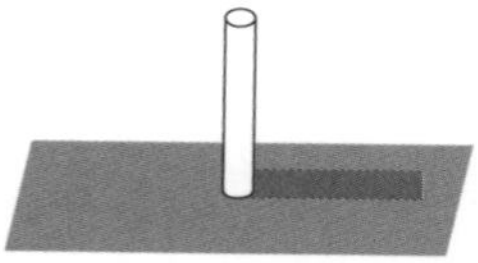

ア　明け方ごろ　　イ　正午ごろ　　ウ　夕方ごろ

□

(4) 次のア～ウのうち，日なたに置いたときに最もあたたまりやすいものはどれか。1つ選び，記号で答えなさい。

ア　白い色紙　　イ　赤い色紙　　ウ　黒い色紙

□

2 星について，次の問いに答えなさい。 4年

(1) 次のア～ウのうち，夏の大三角をつくる星を1つ選び，記号で答えなさい。

ア　わし座のアルタイル　　イ　こいぬ座のプロキオン
ウ　さそり座のアンタレス

(2) オリオン座はどの季節の代表的な星座か。春夏秋冬のどれかで答えなさい。

3 月について，次の問いに答えなさい。 4年 6年

(1) 図1は，ある日の夕方に三日月を観察したときのスケッチである。Aはどの方角か。東西南北のいずれかで答えなさい。

図1

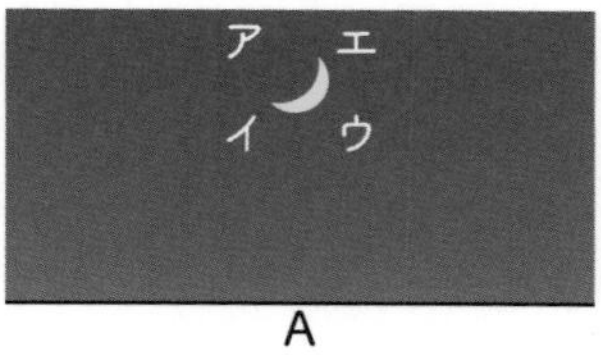

(2) 図1のア～エのうち，太陽はどの方向にあるか。記号で答えなさい。

(3) 次のア～ウのうち，新月が見えない理由について最も適当なものを1つ選び，記号で答えなさい。

ア　月がしずんだままでのぼってこないから
イ　月が太陽の側にあるから
ウ　月が消えてなくなったから

(4) ある日の夜に満月が見えてから，次の満月が見えるまで，およそどのくらいかかるか。次のア～ウから1つ選び，記号で答えなさい。

ア　約1週間　　イ　約1か月　　ウ　約1年

中学校のさきどり　恒星《こうせい》・惑星《わくせい》・衛星《えいせい》と太陽系

・地球は太陽のまわりを，約1年で1周まわる（公転という）。
・地球のように，自分で光る星（恒星）のまわりをまわる星を惑星という。
・月のように，惑星のまわりをまわる星を衛星という。
・太陽や，太陽のまわりをまわる星などをまとめて太陽系という。
・太陽系には，水星，金星，地球，火星，木星，土星，天王星《てんのうせい》，海王星《かいおうせい》の8つの惑星がある。

テスト 5

DAY 5 TEST

目標時間 3 分

解答は別冊の P.019

1 植物・動物・人体について，次の問いに答えなさい。

(1) ヒトの体のつくりのうち，食べ物が通らないのはどれか。次のア～ウから1つ選び，記号で答えなさい。

ア　胃　　イ　肝臓　　ウ　小腸

□

(2) 次のア～ウの昆虫《こんちゅう》のうち，さなぎになってから成虫になるものはどれか。1つ選び，記号で答えなさい。

ア　バッタ　　イ　カマキリ　　ウ　カブトムシ

□

(3) 植物の葉に光が当たるとつくられる栄養分で，ヨウ素液につけると青むらさき色になるものは何か。

(　　　　)

(4) ある地域に住んでいる生き物の間の，食べる・食べられるのつながりを何というか。

(　　　　)

2 物質・エネルギーについて，次の問いに答えなさい。

(1) 通常の条件で，水の融点《ゆうてん》・沸点《ふってん》はそれぞれ何℃か。

融点 (　　℃)　沸点 (　　℃)

(2) 次のア～ウのうち，気体が溶《と》けた水溶液《すいようえき》で，赤色リトマス紙を青色に変えるものはどれか。1つ選び，記号で答えなさい。

ア　うすい水酸化ナトリウム水溶液　　イ　うすい塩酸

ウ　アンモニア水

□

(3) ろうそくなどが燃えたときに発生する，石灰水を白くにごらせる気体は何か。

(　　　　)

(4) 20g の食塩を，80g の水に溶かした。この食塩水全体の重さ（100g）をもとにしたとき，食塩水にふくまれる食塩の重さの割合を百分率で表すと，何％か。

(　　　　%)

3 力・運動・電気について，次の問いに答えなさい。

(1) 右の図のア～エの豆電球のうち，最も明るく光るのはどれか。１つ選び，記号で答えなさい。豆電球と乾電池《かんでんち》はすべて同じものとする。

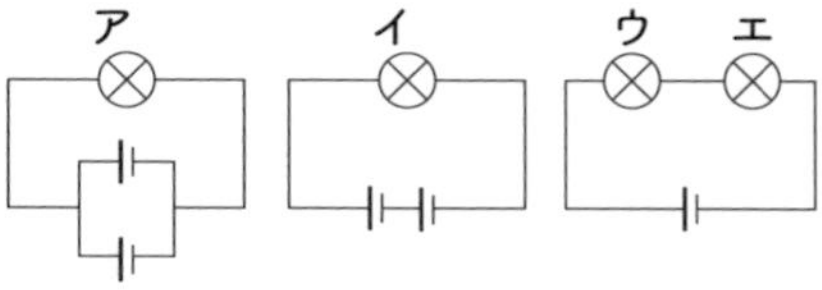

(2) 右の図のピンセットのAは，支点・力点・作用点のどれか。

（　　　　　　　　）

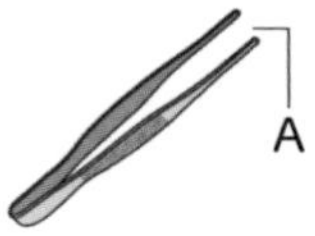

(3) 右の図のように，水を入れたペットボトルを糸でつるして振り子をつくった。水の量を増やすと，周期が短くなった。この理由として最も適当なものを，次のア～ウから1つ選び，記号で答えなさい。

ア　重くなったから
イ　振れ幅が小さくなったから
ウ　振り子の長さが短くなったから

4 地球・宇宙について，次の問いに答えなさい。

(1) 陸上で観察できる地層《ちそう》の中に，ホタテガイの化石がある。これについて最も適当な説明を次のア～ウから1つ選び，記号で答えなさい。

ア　このホタテガイは，陸上で生活していた
イ　この地層は，海の底でできてから陸上に持ち上がった
ウ　この地層は，火山の噴火《ふんか》によってできた

(2) 右の図は，ある日の東京で観察した太陽の動きを表している。図のAはどの方角か。東西南北のどれかで答えなさい。

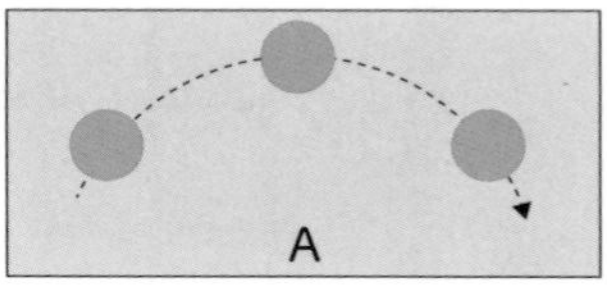

(3) 右の図が月の満ち欠けの順序を正しく表すように，空らんにあてはまる月の形を次のア～ウから１つ選び，記号で答えなさい。

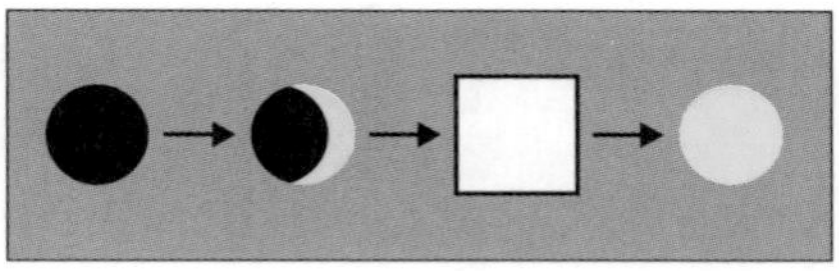

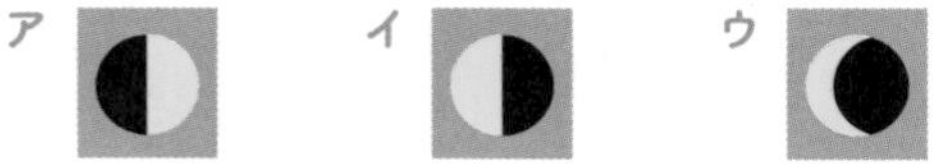

(4) 次のア～ウの星座のうち，観察しやすい季節がほかと違《ちが》うものはどれか。１つ選び，記号で答えなさい。

ア　さそり座　　イ　はくちょう座　　ウ　オリオン座

夜行性《やこうせい》動物とは、夜間に活動し、昼間は休んでいる動物のことです。彼らは、なぜ夜間に活動するのでしょうか。その理由はいろいろあります。まず、明るい昼間は敵にねらわれやすいからです。また、日の光を浴びると体温が上がりすぎてしまうため、暗くなるまでじっとしている動物もいます。さらに、本来は昼間にも活動できるのですが、人間をおそれて夜間に活動するようになった動物もいます。そして、しだいに夜の活動に適した体をもつようになりました。

□、サルの仲間であるショウガラゴの目は、レンズの後ろに光を反射する鏡のような部分があり、それを使って暗い場所でも物を見ることができます。このように、ショウガラゴの目はとてもすぐれた働きをしますが、じつは、色を見分けることは苦手です。自然界には、美しい色の動物や植物がたくさんありますが、暗い場所でくらす動物にとっては、そうした色は必要がないのかもしれません。

また、コウモリの仲間であるフルーツコウモリは、目が小さくて視力はよくありませんが、大きな耳をもっています。そして、鼻から超音波《ちょうおんぱ》を発し、それを耳で感じとることで、周囲にぶつかることなく移動ができます。そのほかにも、においをかぐ力を発達させることで、暗やみで活動しやすくしている動物もいます。

2 上の文章を読んで次の問題に答えなさい。

(1) 夜行性動物が夜間に活動する理由としてあてはまらないものを一つ選びなさい。

ア　明るい昼間は敵にねらわれやすいから。
イ　日の光で体温が上がりすぎてしまうから。
ウ　夜の活動に適した体をもっているから。

□

(2) □にあてはまる言葉を一つ選びなさい。

ア　だから　　イ　例えば　　ウ　しかし

□

(3) ——線「それ」は何を指していますか。十三字でぬき出しなさい。

□□□□□□□□□□□□□

(4) 視力以外の力を発達させた動物について書かれているのは、第何段落ですか。漢数字で書きなさい。

第□段落

テスト 7

目標時間 3分

解答は別冊の P.023

秋の合唱祭が近づいてきた。ちひろは、ピアノ伴奏《ばんそう》者に立候補した。みんなの歌声に合わせてピアノをひきたいと思い、夏休み前からずっと練習してきたからだ。

伴奏者を決めるために、立候補者が音楽室に集まってオーディションをすることになった。一人ずつ順番に同じ曲をひくのだ。ちひろはきんちょうで［A］。立候補者は五人。最初の演奏者は、三才のときからピアノを習っている大川さんだ。演奏が始まった。

（速い！　そして、うまい！）

ちひろはおどろいて［B］。まるで子犬が走り回るような速さで、強弱もはっきりしている。ちひろのひき方とはまったくちがう。きいているうちに、ちひろは①目の前がすーっと暗くなっていくように感じた。

（大川さんにはかなわない。）

そう思って、その場からにげ出したくなった。でも、②自分が立候補した理由を思い出し、［C］。

（私は私。いつもどおりにひこう。）

1 上の文章を読んで次の問題に答えなさい。

(1) ［A］〜［C］にあてはまる言葉を、それぞれ選びなさい。

ア　ぐっとこらえた　　イ　胸がドキドキした

ウ　目を丸くした

A □　B □　C □

(2) ――線①「目の前がすーっと暗くなっていく」とありますが、この表現には、ちひろのどのような心情が反映されていますか。一つ選びなさい。

ア　期待　　イ　絶望　　ウ　不満

□

(3) ――線②「自分が立候補した理由」とありますが、その内容がわかる一文をぬき出し、最初の五字を書きなさい。

□□□□□

オリンピックは四年に一度行われるスポーツの祭典です。その歴史は大変古く、約二八〇〇年前に古代ギリシャのオリンピア地方で始まりました。これを古代オリンピックと呼びます。古代オリンピックは、千年以上もの長い間続けられましたが、時代の変化とともに中止されてしまいました。

近代になり、フランスのクーベルタンという人物が中心となって、オリンピックを復活させようという声が上がりました。そして、一八九六年、ギリシャのアテネで、第一回オリンピック競技会が開かれました。これが近代オリンピックの始まりです。

オリンピックのシンボルである五つの輪のマークを考えたのもクーベルタンです。五つの輪は、世界の五大陸を表します。日本では、このマークにちなんで、オリンピックのことを「五輪《ごりん》」と呼ぶこともあります。これは、新聞記事の見出しに使える文字の数が限られているので、できるだけ短い語句でオリンピックを表現するために、日本の新聞記者が考えた言葉だそうです。今では新聞だけでなく、日常会話にも使われていますね。

2 上の文章を読んで次の問題に答えなさい。

(1) 古代オリンピックが始まった場所はどこですか。

（　　　　）

(2) 近代オリンピックの始まりについて書かれているのは、第何段落ですか。漢数字で書きなさい。

第□段落

(3) 「五輪」という言葉を考えたのはだれですか。

（　　　　）

中学校のさきどり　キーワードを定義する

中学校で読む説明文では、筆者がいろいろな手法を用いて、自分の主張に説得力をもたせます。例えば、ある言葉に、一般的な意味だけでなく、特別な意味をもたせる手法があります。これを「キーワードを定義する」といいます。

キーワード例「豊かさ」

豊かとは、物がたくさんあることだ。しかし、多くの物が使い捨てされている現代社会は、本当に豊かと言えるのだろうか。本当に必要な物が必要な数だけある状態が真の「豊かさ」だと私は思う。

説明文の読み取り②

目標時間 20分

解答は別冊の P.023

文章の主題や、段落と段落の関係を理解しながら読む。

復習ポイント

　しょうゆは、大豆を原料とした発こう食品で、日本の代表的な調味料の一つです。和食には欠かせないものとなっています。

　おさしみやおすしは、しょうゆをつけて食べるといっそうおいしく感じます。それは、しょうゆにメチオノールという成分がふくまれていて、魚の生ぐさいにおいを消してくれるからです。また、しょうゆには、適度な塩分やアルコールなどもふくまれていて、魚がくさるのをおくらせる効果もあります。

　ところで、うなぎやせんべいを焼いている店の前を歩いていたら、こうばしいにおいがただよってきて、急におなかがすいたと感じたことはありませんか。このにおいは、しょうゆにふくまれるアミノ酸とブドウ糖が加熱されて生じます。つまり、しょうゆを加熱したにおいには、食欲をそそる効果があるのです。

　このように、しょうゆにはさまざまな効果があることがわかっています。

1 上の文章を読んで次の問題に答えなさい。

(1) この文章は、いくつの段落に分かれていますか。漢数字で書きなさい。

□

(2) この文章全体は、何について書いてありますか。あてはまるものを一つ選びなさい。

ア　しょうゆの原料
イ　しょうゆを使った料理
ウ　しょうゆの効果

□

(3) 魚の生ぐさいにおいを消す成分は何ですか。

（　　　　）

(4) しょうゆを加熱したにおいは、どのようなにおいですか。次の空らんにあてはまるように書きなさい。

□□□□□ におい

　横断歩道には信号がある所とない所があります。信号のない横断歩道を歩行者がわたろうとしていたら、車はその手前で止まらなければいけません。それがルールです。［　　］、ある調査の結果、約90パーセントの車が止まらずに、横断歩道を通過していることがわかりました。そのような場合、歩行者は無理に横断すると危険なので、車の列がとぎれるのを待つしかありません。

　日本人は規律正しい国民だとよく言われます。それなのに、①どうしてこのようなことがおこるのでしょうか。

　その理由の一つに、②このルールがあまり広く知られていないということが挙げられます。ある車が、歩行者を見つけて横断歩道手前で一時停止したところ、後ろの車にクラクションを鳴らされたり、追いぬかされたりしたことがあるそうです。これではルールを守る人のほうが、きゅうくつな思いをしてしまいます。

　もう一つの理由は、運転者の不注意です。ルールを知っていても、運転者が歩行者に気づくのがおそければ、車を安全に止めることができません。

2 上の文章を読んで次の問題に答えなさい。

(1) ［　　］にあてはまる言葉を一つ選びなさい。

ア　だから　　イ　しかし　　ウ　そして

(2) ――線①「どうしてこのようなことがおこるのでしょうか」とありますが、その理由の二つ目は何ですか。七字でぬき出しなさい。

(3) ――線②「このルール」の内容が書かれている一文をぬき出し、最初の五字を書きなさい。

中学校のさきどり

文法の知識

中学校では、小学校のときよりも長い文章を読む機会が増えます。長い文章を読み進めるには、言葉の組み立てや使い方の決まりを正しく理解していることが重要です。言葉の組み立てや使い方の決まりのことを「文法」といいます。

文法の知識　「品詞」の例

- 名詞…ものの名前やことがら　例…犬
- 動詞…動作や作用を表す　例…走る
- 形容詞…状態や性質を表す　例…白い

説明文の読み取り①

目標時間 20分

解答は別冊のP.022

接続語や指示語を理解し、文章の流れを読み取る。

復習ポイント

あなたの家には、たたみがありますか。最近は洋風の家が増えて、たたみがある家のほうがめずらしいのかもしれません。テーブルやイスを使う現在の生活様式には、確かに木のゆかやカーペットのほうが便利です。しかし、たたみには、それらとはちがうみりょくがあります。

まず、たたみはいぐさという植物を編んで作られていて、通気性にすぐれています。□、湿度《しつど》の高い日本の気候にとても適しています。

また、表面がやわらかく、体への負担が少なくてすみます。足音などの生活音もやわらげてくれます。

さらに、新しいたたみは、いぐさの素材を生かした緑色で、見た目が美しく、独特のよい香りがします。色や香りは使っているうちにうすれていきますが、それもまた味わい深いものです。一方で、最近は、色あざやかなたたみも人気です。黒や灰色、青、ピンクなど、さまざまな色のたたみが作られています。

1 上の文章を読んで次の問題に答えなさい。

(1) たたみは何で作られていますか。三字で答えなさい。

□□□

(2) ――線「それら」は何を指していますか。十字でぬき出しなさい。

□□□□□□□□□□

(3) □にあてはまる言葉を一つ選びなさい。

ア しかし　イ 例えば　ウ だから

□

(4) たたみのみりょくとしてあてはまらないものを一つ選びなさい。

ア 現代の生活様式に合っている。

イ 生活音をやわらげてくれる。

ウ 独特のよい香りがする。

□

事の起こりは昼休みだった。
あきらの学校では、校内サッカー大会が近づいていた。あきらはクラスのキャプテンだ。昼休みに練習をしようと呼びかけ、今日がその初日だった。給食のあと、みんながグラウンドに集まったが、キーパーの田中くんだけがなかなか来ない。だいぶ時間が経《た》って、田中くんが息を切らして走って来た。あきらはいらいらしてどなった。
「おい。おそいよ。やる気あんのかよ？」
田中くんは、ショックを受けた顔をして、教室にもどってしまった。

あとで、別のクラスの中島くんから聞いた。田中くんは、グラウンドに行くとちゅうで、一年生が転んでひざから血を流しているのを見て、保健室に連れて行っていたということを。
家に着いたあきらは、もやもやした気分をかかえていた。みんなの前で田中くんにひどいことをしてしまった。何も聞かずにどなりつけてしまった自分がはずかしい。
よし。あきらは心を決めた。これから田中くんにあやまりに行こう。ドアを開けると、雲のすき間からあたたかい日の光がさしこんできた。

2 上の文章を読んで次の問題に答えなさい。

(1) 田中くんは、なぜサッカーの練習におくれたのですか？
一年生を（　　　　　　　　）から。

(2) ——線「あたたかい日の光」とありますが、この表現は、物語のどのような結末を暗示していますか。一つ選びなさい。
ア 勝利　イ 対立　ウ 和解
□

(3) あきらの性格として適切なものを、一つ選びなさい。
ア 思考力があり、物事を的確に進めることが得意な性格。
イ 失敗もするが、前向きに行動することができる性格。
ウ 気が弱くて、他人の言うことに流されやすい性格。
□

中学校のさきどり　情景描写《びょうしゃ》から心情をとらえる

登場人物の心情は、①気持ちを表す言葉や②様子・動作を表す言葉で表現される場合と、③情景描写《びょうしゃ》で暗示される場合があります。中学校で学ぶ作品は、これまでよりも③の表現が多くなりますので、見落とさないようにしましょう。

心情表現の例
①悲しくなった。
②目からなみだがあふれた。
③雨がしとしと降り始めた。

物語文の読み取り②

目標時間 20分

解答は別冊の P.022

比《ひ》ゆ表現や情景描写《びょうしゃ》に着目し、登場人物の心情の変化を読み解く。

復習ポイント

たかしの家では、放課後に友達を家に呼んでいい日が決まっている。お母さんの仕事の都合があるからだ。今日が①その日だ。いつものメンバーでゲームをしよう。そう思って学校へ出かけようとしたとき、お母さんに声をかけられた。

「家に呼ぶのは三人までにしてちょうだい。」

「なんで?」

「先週、お友達がたくさん来てにぎやかだったでしょう。うるさかったので、近所の人から②苦情がきたのよ。人数が多いのは困るわ。」

(三人かぁ。どうすればいいかなぁ。)

六時間目の算数の時間。たかしは、授業もそっちのけで、放課後の予定について考えていた。

(やっぱり、だいすけとこうたとひろきを家に呼ぼう。③本当は、まことも呼びたいけれど……。)

教室から窓の外を見ると、厚い雲が校庭に④影を落としていた。まことに何て言おうと考えると、たかしの心は、しだいに暗くしずみこんでいった。

1 上の文章を読んで次の問題に答えなさい。

(1) ――線①「その日」はどんな日ですか。文章中の言葉で答えなさい。

（　　　　）

(2) ――線②「苦情」とありますが、なぜ苦情がきたのですか？ 次の空らんにあてはまるように、六字でぬき出しなさい。

□□□□□□から。

(3) ――線③「本当は、まことも呼びたいけれど……」とありますが、このあとに続くたかしの言葉を考えて、次の空らんにあてはまるように書きなさい。

・家に呼べるのは（A　　）までなので、（B　　）はできない。

(4) ――線④「影」とありますが、この表現には、たかしのどのような心情が反映されていますか。一つ選びなさい。

ア 後悔《こうかい》　イ ゆううつ　ウ 安心

□

「①バス停はどっちかしら。」
えりかが歩いていると、ひとりごとのような声が聞こえた。ふと見ると、知らないおばあさんが［A］で道の真ん中に立っていた。
（いま来た道をもどれば、バス停がありますよ。）
えりかは②心の中で返事をして、通り過ぎた。知らない人と話をしてはいけない。両親からそう言われているからだ。それでもなんだか気になってしかたがない。三十メートルほど歩いてからふりむくと、そのおばあさんが、さっきと同じ場所にぽつんと立っているのが見えた。
（そうだ。話をしなければいいんだ。）
えりかは、あることを思いつき、カバンから紙とえんぴつを取り出した。バス停までの地図はすぐに書けた。それを持って、さっきのおばあさんに近づいた。
「……。」
えりかは何も言わずに紙を差し出した。おばあさんが［B］でえりかを見た。
「あ、あの、バス停の場所を教えてあげようと思って。」
えりかは、ついに声を出してしまった。おばあさんはほっとしたように［C］になった。

2 上の文章を読んで次の問題に答えなさい。

(1) ――線①「バス停はどっちかしら」と言ったのはだれですか。
（　　　　）

(2) ――線②「心の中で返事をして」とありますが、えりかは、なぜ声に出さなかったのですか。
両親から（　　　　）と言われているから。

(3) ［A］～［C］にあてはまる言葉を、それぞれ選びなさい。
ア　笑顔　　イ　困った顔　　ウ　おどろいた顔
A［　］　B［　］　C［　］

中学校のさきどり

物語文に見られる多様な表現

小学校で学ぶ物語文では、あまりむずかしい表現や言葉は使われていません。しかし、中学生になると、一般の人を対象として書かれた文学作品なども学ぶようになり、多様な表現を理解しながら読み進める必要があります。

多様な表現の例
- ふしぎそうに＝いぶかしそうに
- あわてる＝うろたえる
- だまる＝口をつぐむ

物語文の読み取り①

目標時間 20分

解答は別冊の P.022

復習ポイント

物語の場面や状況《じょうきょう》をとらえ、登場人物の様子や心情をていねいに読み取る。

水曜日、学校から帰っておやつを食べ、宿題の準備をしようと立ち上がったとき、ゆみこは［A］した。めがねが、ない。この間の土曜日の午後に買ったばかりの新しいめがねだ。今朝、学校へ行くときに、ケースごとスカートのポケットに入れ、学校にいるときはそこにあったはずだ。

「どうかしたの？」

お母さんがふしぎそうに声をかけてきたので、ゆみこは①あわてて首をふった。

（帰り道で落としたのかもしれない。）

ゆみこは［B］家をぬけだした。もう日が暮れかけていた。きょろきょろとあたりを見回しながら通学路を歩いたが見つからない。そのとき、［C］肩《かた》をたたかれて、ゆみこは飛び上がった。

「こんな時間に何をしているの？」

担任の鈴木先生が立っていた。

（正直に話したら、お母さんだけでなく、先生にもおこられるかもしれない。）

ゆみこは②だまって下を向いた。

1 上の文章を読んで次の問題に答えなさい。

(1) この物語は、いつのできごとですか。一つ選びなさい。

ア 水曜日の朝　イ 水曜日の夕方　ウ 土曜日の午後

［　］

(2) ［A］～［C］にあてはまる言葉を、それぞれ選びなさい。

ア そっと　イ ぽんと　ウ はっと

A［　］　B［　］　C［　］

(3) ――線①「あわてて首をふった」とありますが、ゆみこはなぜそうしたのですか。一つ選びなさい。

ア お母さんはいそがしくて、いっしょにめがねをさがせないと思ったから。

イ めがねをなくしたと思ったのは、お母さんの気のせいだとわかったから。

ウ めがねがないことをお母さんに知られたら、おこられると思ったから。

［　］

(4) ――線②「だまって下を向いた」とありますが、このときのゆみこの心情として適切なものを一つ選びなさい。

ア 不安　イ 悲しみ　ウ いかり

［　］

3 次の空らんに入る語句をあとのア〜ケから選び、ことわざ・慣用句を完成させなさい。

(1) 立て板に□
(2) 弘法《こうぼう》も□の誤り
(3) とびが□を生む
(4) □も鳴かずばうたれまい
(5) 木に□をつぐ
(6) □の上にも三年
(7) 青菜に□
(8) ぬれ手で□
(9) □からうろこが落ちる

ア 竹　イ 粟《あわ》　ウ 水
エ 石　オ 筆　カ 目
キ 塩　ク きじ　ケ たか

4 次の四字熟語の意味を、あとのア〜キから選び、記号で答えなさい。

(1) 異口同音
(2) 馬耳東風
(3) 我田引水
(4) 針小棒大
(5) 一朝一夕
(6) 一日千秋
(7) 付和雷同

ア わずかな月日。
イ とても待ち遠しいこと。
ウ 他人の忠告を聞かないこと。
エ 自分に都合のよい行いばかりすること。
オ 多くの人が口をそろえて同じことを言うこと。
カ 自分の考えを持たず、他人の意見にすぐ同調すること。
キ 小さなことを大げさに言うこと。

5 次のことわざ・慣用句と似た意味をもつものを、あとのア〜キから選び、記号で答えなさい。

(1) さるも木から落ちる
(2) ねこに小判《こばん》
(3) のれんに腕《うで》おし
(4) 泣き面《つら》にはち
(5) 三《み》つ子《ご》の魂《たましい》百まで
(6) 待てば海路《かいろ》の日和《ひより》あり
(7) 月とすっぽん

ア 果報《かほう》は寝《ね》て待て
イ ぬかにくぎ
ウ かっぱの川流れ
エ ちょうちんにつりがね
オ すずめ百までおどり忘れず
カ ぶたに真珠《しんじゅ》
キ 弱り目にたたり目

テスト 6

目標時間 2分

解答は別冊のP.021

1 次の文章の――線の言葉に合う読みを、あとのア〜セから選び、記号で答えなさい。

(1) 運動会が延期になる。

(2) 本当かどうか疑問に思う。

(3) 飼い主に服従する犬。

(4) 電化製品が故障する。

(5) 人前で姿勢を正す。

(6) 物資を供給する。

(7) 精密な検査を受ける。

(8) 大型機械を操作する。

(9) 開会を宣言する。

(10) 迷子を保護する。

(11) 外出の許可を得る。

(12) 水分が蒸発する。

(13) 災害に備えて対策を練る。

(14) 権利を主張する。

ア せいみつ　イ せんげん
ウ じょうはつ　エ そうさ
オ ふくじゅう　カ ほご
キ しせい　ク きょか
ケ こしょう　コ ぎもん
サ きょうきゅう　シ たいさく
ス えんき　セ しゅちょう

2 次の文章の――線の言葉に合う漢字を書きなさい。

(1) 知らない町をタンケンする。

(2) 得意わざをデンジュする。

(3) 今朝のバスはコンザツしていた。

(4) 二酸化炭素をキュウシュウする。

(5) お気に入りの詩をロウドクする。

(6) 病気の妹をカンゴする。

2

次の空らんに漢数字を入れて、四字熟語を完成させなさい。空らんが二つある場合、同じ漢数字が入ります。

(1) 一日□秋

(2) □里霧中

(3) □朝□夕

(4) 四苦□苦

(5) 一石□鳥

(6) □転八倒

(7) □人□色

(8) 三寒□温

(9) 朝□暮四

(10) 千差□別

(11) □発□中

(12) □期□会

3

次の空らんに入る語句をあとのア～ウからそれぞれ選び、ことわざ・慣用句を完成させなさい。

(1) □の耳に念仏《ねんぶつ》

ア 羊　イ 馬　ウ 牛

(2) □も木から落ちる

ア さる　イ 鳥　ウ ねこ

(3) 泣き面《つら》に□

ア はえ　イ せみ　ウ はち

(4) □の川流れ

ア かっぱ　イ りゅう　ウ うなぎ

(5) □に小判《こばん》

ア ねずみ　イ からす　ウ ねこ

(6) とらぬ□の皮算用

ア 熊　イ たぬき　ウ しか

(7) 井《い》の中の□大海《たいかい》を知らず

ア かわず　イ めだか　ウ あひる

(8) 立つ□あとをにごさず

ア 犬　イ 鳥　ウ 象

中学校のさきどり

古文の言葉と歴史的仮名《かな》遣《づか》い

ことわざや慣用句には、昔の言葉が使われていることがあります。例えば、「井の中のかわず…」の「かわず」は今の「かえる」のことです。中学の古文学習では、このような昔の言葉がたくさん出てきます。また、古文の仮名遣いは「歴史的仮名遣い」とよばれ、現代語のルールと少し異なります。

歴史的仮名遣いの例

・かわず …現代仮名遣い

・かはづ …歴史的仮名遣い

四字熟語・ことわざ・慣用句②

目標時間 20分

解答は別冊のP.021

復習ポイント

漢数字を使った四字熟語や、生き物の名が出てくることわざ・慣用句もチェックする。

1 次のことわざ・慣用句の意味を、下のア～トから選び、記号で答えなさい。

(1) 転ばぬ先の杖《つえ》
(2) 枯《か》れ木も山のにぎわい
(3) 三《み》つ子《ご》の魂《たましい》百まで
(4) とらの威《い》を借《か》るきつね
(5) ねこの手も借りたい
(6) 情けは人のためならず
(7) きじも鳴かずばうたれまい
(8) 身から出たさび
(9) 医者の不《ふ》養生《ようじょう》
(10) ひょうたんから駒《こま》
(11) 二階から目薬
(12) 待てば海路《かいろ》の日和《ひより》あり
(13) かえるの面《つら》に水
(14) 木に竹をつぐ
(15) 竹馬の友
(16) 目からうろこが落ちる
(17) ぶたに真珠《しんじゅ》
(18) 郷《ごう》に入《い》っては郷に従え
(19) 灯台下《もと》暗し
(20) 木を見て森を見ず

ア 回りくどくてなかなかうまくいかないこと。
イ 思いがけないことが起こること。
ウ 自分が住む地域のやり方にあわせるべきだということ。
エ 一部分にこだわって全体を見失うこと。
オ 失敗しないように前もって準備すること。
カ 自分がした悪事のために自分が苦しむこと。
キ 幼いときの性質はずっと変わらないこと。
ク 余計なことをしなければ災難にもあわないということ。
ケ つり合いがとれなくてちぐはぐなこと。
コ よい行いをすると、自分によいことが返ってくること。
サ おさななじみのこと。
シ 自分よりも強い人にたよっていばること。
ス 身近なことはかえって気づきにくいということ。
セ 今までわからなかったことがわかるようになること。
ソ わかっていることでも実行しないこと。
タ 価値を知らない人に高価なものをあげてもむだなこと。
チ とてもいそがしいこと。
ツ じっと待てばいつかはよい機会がめぐってくること。
テ ずうずうしい態度をとること。
ト つまらないものでも、ないよりはましなこと。

2 次の空らんに入る漢字をあとのア〜コから選び、四字熟語を完成させなさい。

(1) 異□同音
(2) 自□自賛
(3) 絶□絶命
(4) 馬□東風
(5) 我□引水
(6) □和雷同
(7) 臨機□変
(8) □小棒大
(9) □刀直入
(10) □心伝心

ア 画　イ 田　ウ 単　エ 針
オ 耳　カ 以　キ ロ　ク 応
ケ 体　コ 付

3 次の空らんに入る語句をあとのア〜ウからそれぞれ選び、慣用句を完成させなさい。

(1) 見事な演技に□を巻いた。
ア 心　イ 指　ウ 舌

(2) 妹にはいつも□を焼く。
ア 手　イ 胃　ウ 胸

(3) 親友の活やくに私も□が高い。
ア 首　イ 背　ウ 鼻

(4) たがいに□を割って話そう。
ア 口　イ 腹　ウ 手

(5) おどろいて□を丸くする。
ア 目　イ 体　ウ 頭

(6) 社交的な母は□が広い。
ア 耳　イ 胸　ウ 顔

(7) 先生の話に□をかたむける。
ア 耳　イ 頭　ウ 口

(8) □を長くして待つ。
ア 足　イ 首　ウ 腕

中学校のさきどり

漢文学習の「送り仮名《がな》」や「返り点」

中学校では、漢文を読みやすくする方法として、「送り仮名」や「返り点」を学びます。四字熟語は中国から伝わったものが多いですが、その意味を考えるときにも、このような漢文の知識を役立てられるようになります。

漢文の知識を用いた例「温故知新《おんこちしん》」

温《あたた》メテ レ 故《ふる》キヲ 知《し》ル レ 新《あたら》シキヲ。
（送り仮名／返り点／送り仮名）

← 故《ふる》きを温《あたた》めて新《あたら》しきを知《し》る。

四字熟語・ことわざ・慣用句①

目標時間 20分

解答は別冊のP.021

復習ポイント
よく使われる言い回しを復習する。体の一部を使って表す慣用句もチェックする。

1 次のことわざ・慣用句の意味を、下のア〜トから選び、記号で答えなさい。

(1) 石の上にも三年 □
(2) 石橋《いしばし》をたたいてわたる □
(3) あぶはち取らず □
(4) 百聞《ひゃくぶん》は一見《いっけん》にしかず □
(5) 立て板に水 □
(6) 青菜に塩 □
(7) のれんに腕《うで》おし □
(8) どんぐりの背比《せいくら》べ □
(9) 弘法《こうぼう》も筆の誤り □
(10) 焼け石に水 □

(11) ぬれ手で粟《あわ》 □
(12) 鶴《つる》の一声《ひとこえ》 □
(13) たなからぼたもち □
(14) 鬼《おに》の目にもなみだ □
(15) 雨降って地固《じかた》まる □
(16) えびで鯛《たい》をつる □
(17) 仏の顔も三度 □
(18) 能あるたかは爪《つめ》をかくす □
(19) とびがたかを生む □
(20) 朱《しゅ》に交われば赤くなる □

ア 実力のある人の発言で物事が決まってしまうこと。
イ 冷たい人でも、時には思いやりが深くなること。
ウ 手ごたえや張り合いがないこと。
エ へいぼんな親からすぐれた子が生まれること。
オ 物事を知るには体験が大事だということ。
カ わずかなものから価値あるものを手に入れること。
キ 周りの人や環境にえいきょうされやすいこと。
ク どんな名人でもときには失敗すること。
ケ すらすらとなめらかに話すこと。
コ 苦労しないでたくさんもうけること。
サ 温厚な人でも度が過ぎればおこるということ。
シ 二つのものを得ようとして失敗すること。
ス 思いがけない幸運に出合うこと。
セ みんな同じくらいで大差がないこと。
ソ 少しくらいの努力では効き目がないこと。
タ けんかのあとはかえってよい関係になれること。
チ がまんをすれば、よい結果が得られるということ。
ツ 急に元気がなくなってしまうこと。
テ すぐれた人は能力を見せびらかさないということ。
ト 用心しすぎるくらいに用心深く行動すること。

2 次の文章の――線の言葉に合う漢字を書きなさい。

(1) うれしくてむねがはずんだ。（　　）

(2) ぞうきんをしぼってほす。（　　）

(3) より道をしないで帰る。（　　）

(4) 新しい生活にもなれてきた。（　　）

(5) 生命のみなもと。（　　）

(6) タオルを首にまく。（　　）

(7) カードのおもてとうら。（　　）

(8) 友達に本をかす。（　　）

(9) 教室のつくえといすを運ぶ。（　　）

3 次の漢字の成り立ちとして正しいものを、下のア～エから選び、記号で答えなさい。

(1) 上 □
(2) 河 □
(3) 馬 □
(4) 鳴 □
(5) 男 □
(6) 三 □
(7) 林 □
(8) 火 □
(9) 議 □
(10) 門 □
(11) 管 □
(12) 末 □

ア 象形文字（目に見える物の形をえがいたもの）
イ 指事文字（目に見えない物を、記号などを使って表したもの）
ウ 会意文字（二つ以上の文字の意味を組み合わせたもの）
エ 形声文字（音を表す部分と意味を表す部分を組み合わせたもの）

中学校のさきどり

知っている漢字の新しい読み（訓）

中学校では、日常会話ではあまり使わないような少し難しい訓読みも学びます。覚えなくてはならない「熟字訓」（特別な読み方）もこれまで以上に増えます。漢字の知識を深めて、語彙《ごい》力や表現力を豊かにしていきましょう。

難しい訓読みが加わる例
・省く（はぶく）…小学校で習う
・省みる（かえりみる）…中学校で習う

中学校で習う熟字訓の例
・名残（なごり）

漢字⑤

目標時間 20分

解答は別冊の P.021

小学校で習う漢字の訓読みと、漢字の成り立ちについて復習する。

復習ポイント

1

次の文章の――線の言葉に合う読みを、下のア〜トから選び、記号で答えなさい。

(1) 月日が飛ぶように過ぎる。

(2) 雨が激しく降る。

(3) セーターを洗ったら縮んだ。

(4) 優先席を設ける。

(5) 勢いよく走り始める。

(6) 山の頂を見上げる。

(7) 下級生を教室へ導く。

(8) 先祖代々、旅館を営んでいる。

(9) 難しい問題に取り組む。

(10) はしごを支える。

(11) 稲が豊かに実る。

(12) 政治家を志す。

(13) 外国から小包が届く。

(14) 流れに逆らって進む。

(15) ボールの大きさを比べる。

(16) 再び会うことはなかった。

(17) ネコが後ろへ退いた。

(18) 夕飯の準備を任せる。

(19) 限りある資源を大切に。

(20) つい気を許してしまった。

ア ゆる
イ とど
ウ いきお
エ むずか
オ まか
カ す
キ いただき
ク ゆた
ケ ふたた
コ ちぢ
サ ささ
シ しりぞ
ス はげ
セ いとな
ソ さか
タ こころざ
チ みちび
ツ くら
テ かぎ
ト もう

2 次の文章の――線の言葉に合う漢字を書きなさい。

(1) 将来のゆめを語る。（　　）

(2) 学校でにわとりをかう。（　　）

(3) テストの答えをたしかめる。（　　）

(4) 的をいた質問をする。（　　）

(5) かた道の運賃をはらう。（　　）

(6) 木炭がもえる。（　　）

(7) ひたいを集めて相談する。（　　）

(8) この薬はよくきく。（　　）

(9) 夫がつまを紹介《しょうかい》する。（　　）

3 次の文章の――線の言葉に合う漢字を、あとのア・イからそれぞれ選び、記号で答えなさい。

(1) 災害にそなえる。
ア 供　イ 備

(2) 委員長をつとめる。
ア 務　イ 勤

(3) 学問をおさめる。
ア 収　イ 修

(4) 税金をおさめる。
ア 治　イ 納

(5) 鏡にうつす。
ア 映　イ 移

(6) 年月をへる。
ア 経　イ 減

(7) 深さをはかる。
ア 測　イ 量

(8) あつい本。
ア 熱　イ 厚

中学校のさきどり　同訓異字

同訓異字とは、3のような「同じ訓読みをする漢字」のことです。意味を考えて使い分けをしますが、読み方が同じなので、その意味も似ていて、まぎらわしい場合もあります。そんな場合は、例文ごと覚えて使い分けましょう。

同訓異字の例「たつ」

・望みを絶つ。…小学校で習う漢字
・ロープを断つ。…中学校で習う読み
・布地を裁つ。…中学校で習う読み

漢字④

目標時間 20分

解答は別冊の P.020

復習ポイント

小学校で習う漢字の訓読みと、「同じ訓読みをする漢字」の書き分けについて復習する。

I

次の文章の——線の言葉に合う読みを、下のア～トから選び、記号で答えなさい。

(1) キャンプファイヤーを囲む。

(2) 行進の列が乱れる。

(3) 快く引き受ける。

(4) 勇気を奮って発言する。

(5) 険しい山道を歩く。

(6) お年寄りを敬う。

(7) 群れを率いるオオカミ。

(8) 家に忘れ物をする。

(9) 常に周囲に気を配る。

(10) 目を疑うような出来事。

(11) ぞうきんから水が垂れる。

(12) 危ないので立ち入り禁止。

(13) 急に姿を現す。

(14) 足りないものを補う。

(15) 週末を独りで過ごす。

(16) 寺で仏像を拝む。

(17) 包丁で野菜を刻む。

(18) 階段のゴミを取り除く。

(19) 布を好きな色に染める。

(20) 先生の指示に従う。

ア あらわ　イ た　ウ うやま　エ こころよ　オ おが　カ つね　キ かこ　ク そ　ケ ひと　コ うたが　サ おぎな　シ したが　ス けわ　セ ふる　ソ あぶ　タ みだ　チ ひき　ツ のぞ　テ わす　ト きざ

2 次の文章の――線の言葉に合う漢字を書きなさい。

(1) キチョウな経験をする。（　　）

(2) 外出のキョカを得る。（　　）

(3) 権利をシュチョウする。（　　）

(4) 方位ジシャクを活用する。（　　）

(5) 災害に備えてタイサクを練る。（　　）

(6) 委員長にリッコウホする。（　　）

(7) ピアノのエンソウ会。（　　）

(8) 水分がジョウハツする。（　　）

(9) 鉄や銅はキンゾクだ。（　　）

3 次の熟語の構成として正しいものを、下のア～エから選び、記号で答えなさい。

(1) 長短 □

(2) 登山 □

(3) 永久 □

(4) 悪人 □

(5) 絵画 □

(6) 父母 □

(7) 消火 □

(8) 鉄橋 □

(9) 幸福 □

(10) 読書 □

(11) 売買 □

(12) 青空 □

ア 意味が対《つい》になる漢字を組み合わせたもの

イ 似た意味の漢字を組み合わせたもの

ウ 上の漢字が下の漢字を修飾《しゅうしょく》するもの

エ 上の漢字が動作を表し、その対象を表す漢字が下にくるもの

中学校のさきどり 知っている漢字の新しい読み（音《おん》）

中学校では、新しい漢字だけでなく、これまでに小学校で学んだ漢字の新たな読みも習います。知っている漢字でも、熟語によって読み方が変わる場合がありますので、読み間違いに注意しましょう。

熟語によって読み方が変わる例

・相談　そうだん…小学校で習う
・首相　しゅしょう…中学校で習う

・体育　たいいく…小学校で習う
・体裁　ていさい…中学校で習う

漢字③

目標時間
20分

解答は別冊の
P.020

小学校で習う漢字を使った熟語の音読みと、熟語の構成について復習する。

復習ポイント

1 次の文章の――線の言葉に合う読みを、下のア～トから選び、記号で答えなさい。

(1) 週に五日間、労働する。

(2) 尊敬している人はだれですか。

(3) 厳重に戸じまりをする。

(4) テストの結果を報告する。

(5) 今朝のバスは混雑していた。

(6) 科学技術が進歩する。

(7) そんなことは百も承知だ。

(8) 事件がやっと解決する。

(9) お祭りが十年ぶりに復活した。

(10) ご協力に感謝します。

(11) 古代の建築様式について学ぶ。

(12) 日本の沿岸で漁をする。

(13) 困っている人を救済する。

(14) 暴力をふるうのは禁止だ。

(15) 病気の妹を看護する。

(16) 学校の成績が気になる。

(17) 郵便の配達を待つ。

(18) 幼い子どもの心は純真だ。

(19) 物語の展開を予想する。

(20) 身の潔白を証明する。

ア けんちく
イ てんかい
ウ ふっかつ
エ ほうこく
オ えんがん
カ かいけつ
キ ぼうりょく
ク ゆうびん
ケ かんご
コ ぎじゅつ
サ けっぱく
シ そんけい
ス せいせき
セ しょうち
ソ ろうどう
タ げんじゅう
チ じゅんしん
ツ かんしゃ
テ こんざつ
ト きゅうさい

2 次の文章の――線の言葉に合う漢字を書きなさい。

(1) 物資をキョウキュウする。

(2) 迷子をホゴする。

(3) 明日の予定をカクニンする。

(4) 昔のブシは支配階級だった。

(5) セイミツな検査を受ける。

(6) 開会をセンゲンする。

(7) 大型機械をソウサする。

(8) 日本のレキシを学ぶ。

(9) キケンを察知する。

3 次の言葉の「対《つい》になる意味の言葉」を、あとのア～ウからそれぞれ選び、記号で答えなさい。

(1) 拡大　ア 縮小　イ 多少　ウ 巨大

(2) 消費　ア 売買　イ 生産　ウ 大量

(3) 賛成　ア 同意　イ 反対　ウ 議論

(4) 単純　ア 明快　イ 簡易　ウ 複雑

(5) 義務　ア 仕事　イ 規則　ウ 権利

(6) 失敗　ア 努力　イ 成功　ウ 勝利

(7) 原因　ア 結果　イ 約束　ウ 理由

(8) 容易　ア 収納　イ 簡単　ウ 困難

中学校のさきどり　類義語・対義語

中学校で新しい漢字を習うと、使う言葉も増えていきます。また、類義語や対義語などを理解して使い分ける力も、これまで以上に必要になります。類義語は「似ている意味の言葉」のこと、対義語は「対《つい》になる意味の言葉」のことです。

例

・無口 ― あまりしゃべらないこと

類義語…寡黙《かもく》

対義語…冗舌《じょうぜつ》

漢字②

目標時間 20分

解答は別冊の P.020

復習ポイント

小学校で習う漢字を使った熟語の音読みと、「対《つい》になる意味の言葉」を復習する。

1

次の文章の——線の言葉に合う読みを、下のア〜トから選び、記号で答えなさい。

(1) 永遠に語りつがれる物語。
(2) 午後十時に就寝する。
(3) 規模の大きいイベント。
(4) 日本の憲法について学ぶ。
(5) 車窓から景色をながめる。
(6) 長く続いてきた王朝が断絶する。
(7) 彼の意見を支持する。
(8) 一代で財産を築き上げる。
(9) お気に入りの詩を朗読する。
(10) 友人を自宅に招待する。
(11) 二酸化炭素を吸収する。
(12) 罪悪感に責められる。
(13) 相手の行動を批判する。
(14) 深刻な事態におちいる。
(15) ろうそくを燃焼させる実験。
(16) 棒を垂直に立てる。
(17) 仮装パーティーに出席する。
(18) 水分が豊富な果物。
(19) 十分な知識を得る。
(20) 最後の場面が圧巻だった。

ア あっかん
イ すいちょく
ウ だんぜつ
エ えいえん
オ ろうどく
カ きぼ
キ ほうふ
ク ざいさん
ケ かそう
コ しゅうしん
サ ひはん
シ しじ
ス けんぽう
セ ざいあく
ソ ちしき
タ しゃそう
チ ねんしょう
ツ きゅうしゅう
テ しんこく
ト しょうたい

2 次の文章の――線の言葉に合う漢字を書きなさい。

(1) 運動会がエンキになる。（　　）

(2) カンタンな料理をつくる。（　　）

(3) 外国で暮らしたケイケンがある。（　　）

(4) 海外の国々とボウエキする。（　　）

(5) 本当かどうかギモンに思う。（　　）

(6) 飼い主にフクジュウする犬。（　　）

(7) 日光がハンシャする。（　　）

(8) 電化製品がコショウする。（　　）

(9) 人前でシセイを正す。（　　）

3 次の文章の――線の言葉に合う漢字を、あとのア～ウからそれぞれ選び、記号で答えなさい。

(1) シュウカン誌の発売日。
ア 習慣　イ 週刊　ウ 週間　□

(2) 金管バンドのコウエン。
ア 公演　イ 公園　ウ 講演　□

(3) 低いタイセイで指示を待つ。
ア 大勢　イ 体制　ウ 体勢　□

(4) 発言にイギを唱える。
ア 異議　イ 異義　ウ 意義　□

(5) 社会にカンシンを持つ。
ア 寒心　イ 感心　ウ 関心　□

(6) キカイ体操に取り組む。
ア 機械　イ 器械　ウ 機会　□

(7) 運賃をセイサンする。
ア 成算　イ 清算　ウ 精算　□

(8) 校庭をカイホウする。
ア 開放　イ 解放　ウ 解法　□

中学校のさきどり　同音異義語

小学校で学ぶ漢字は1026字ですが（2020年4月以降）、中学校では、3年間でさらに1110字の漢字を学びます。それにともない、3のような同音異義語の種類も増えます。同音異義語とは、「同じ音の漢字や熟語」のことです。

例「ついきゅう」

・利益を追求する。
・真理を追究する。］…小学校で習う
・責任を追及する。］…中学校で習う

漢字①

目標時間 20分

解答は別冊の P.020

小学校で習う漢字を使った熟語の音読みと、「同じ音《おん》の漢字や熟語」を復習する。

復習ポイント

1 次の文章の――線の言葉に合う読みを、下のア〜トから選び、記号で答えなさい。

(1) ものごとの因果関係を調べる。
(2) 思わぬ災難に巻きこまれる。
(3) 知らない町を探検する。
(4) 社会のしくみを改革する。
(5) 得意わざを伝授する。
(6) 白熱した試合に興奮する。
(7) 稲や麦は穀物だ。
(8) 町内会の組織図を作る。
(9) いろいろな種類の布を用意する。
(10) 家と学校を往復する。
(11) 危険を察して警告する。
(12) 仕事をして賃金を得る。
(13) 思わぬ事故で負傷する。
(14) 新しくできた組合に加盟する。
(15) 慣例に従って行動する。
(16) 食欲がおうせいな人。
(17) 充実した設備の練習場。
(18) 裁判の結果をニュースで知る。
(19) このうえなく痛快な気分になる。
(20) 経済的な損失を受ける。

ア かいかく
イ しゅるい
ウ そんしつ
エ そしき
オ かめい
カ でんじゅ
キ しょくよく
ク いんが
ケ せつび
コ こうふん
サ けいこく
シ かんれい
ス たんけん
セ さいばん
ソ ふしょう
タ つうかい
チ おうふく
ツ こくもつ
テ ちんぎん
ト さいなん

監修《かんしゅう》　陰山《かげやま》　英男《ひでお》

1958年兵庫県生まれ。岡山大学法学部卒。兵庫県朝来町立（現朝来市立）山口小学校教師時代から，反復学習や規則正しい生活習慣の定着で基礎学力の向上を目指す「陰山メソッド」を確立し，脚光を浴びる。

2003年4月，尾道市立土堂小学校校長に全国公募により就任。

百ます計算や漢字練習の反復学習を続け基礎学力の向上に取り組む一方，そろばん指導やICT機器の活用など新旧を問わず積極的に導入する教育法によって子どもたちの学力向上を実現している。近年は，ネットを使った個別の小学生英語など，グローバル人材の育成に向けて提案や実践などに取り組んでいる。過去，文部科学省中央教育審議会教育課程部会委員，内閣官房教育再生会議委員，大阪府教育委員会委員長などを歴任。2006年4月から2016年まで，立命館大学教授。

現在，陰山ラボ代表。陰山メソッド普及のため教育クリエイターとして活躍し，講演会等を実施するほか，全国各地で教育アドバイザーなどにも就任，子どもたちの学力向上に成果をあげている。著書多数。

改訂版《かいていばん》　小学校《しょうがっこう》の総復習《そうふくしゅう》が7日《か》間《かん》でできる本《ほん》

2024年9月13日　初版発行

監修／陰山《かげやま》　英男《ひでお》

発行者／山下　直久

発行／株式会社 KADOKAWA

〒102-8177　東京都千代田区富士見2-13-3

電話：0570-002-301（ナビダイヤル）

印刷所／株式会社リーブルテック

製本所／株式会社リーブルテック

●お問い合わせ
https://www.kadokawa.co.jp/（「お問い合わせ」へお進みください）
※内容によっては、お答えできない場合があります。
※サポートは日本国内のみとさせていただきます。
※ Japanese text only

定価はカバーに表示してあります。

ISBN 978-4-04-606944-3　C6000

小学校の総復習が7日間でできる本

改訂版

監修
陰山英男
陰山ラボ代表・教育クリエイター

解答・解説

この別冊は本体との接触部分がのり付けされていますので，
本体からていねいに引き抜いてください。なお，この別冊抜き取りの際に
損傷が生じた場合，お取り替えはいたしかねます。

英語　実力テスト

1

(1) bus　(2) chair

(3) scissors　(4) pencil case

解説 文房具や身の回りのもの，乗り物の名前の問題。

2

(1) カ　(2) キ　(3) ア

(4) エ　(5) ウ　(6) イ

解説

スポーツの名前や乗り物の名前，動作や状態を表す単語の問題。

3

(1) ウ　(2) エ　(3) イ　(4) ア

解説 それぞれの文の意味は次の通り。

ア わたしはじょうぎがほしいです。

イ かれはおなかがすいています。

ウ わたしはテニスをします。

エ わたしの自転車はどこにありますか。

4

(1) happy　(2) read　(3) short　(4) sing

解説 動作や状態, 気持ちを表す単語の問題。

それぞれの文の意味は次の通り。

(1) わたしは幸せです。

(2) 本を読みましょう。

(3) わたしのえんぴつは短いです。

(4) わたしは上手に歌うことができます。

算数　実力テスト

1

(1) 128　(2) 20.28　(3) $\frac{4}{15}$

(4) $\frac{8}{5}$（もしくは 1.6）(5) $\frac{1}{6}$　(6) 2

解説 いろいろな計算の問題。

(5) $\frac{3}{4} \times \frac{2}{5} - \frac{1}{3} \times \frac{2}{5} = \left(\frac{3}{4} - \frac{1}{3}\right) \times \frac{2}{5}$

$= \left(\frac{9}{12} - \frac{4}{12}\right) \times \frac{2}{5} = \frac{5}{12} \times \frac{2}{5} = \frac{1}{6}$

2

(1) 240km　(2) 分速 400m

(3) 3.5 秒

解説

速さ・時間・距離の問題。

(2) 2800m を 7 分間で進むので,

$2800 \div 7 = 400$

3

(1) 0.12　(2) 40 人　(3) 10 通り

解説 (1)と(2)は割合の問題，(3)は組み合わせの問題。

(1) $30 \div 250 = 0.12$　(2) $2 \div 0.05 = 40$

4

(1) ㋓，$y = 3x$　(2) ㋒，$y = \frac{10}{x}$

解説 比例・反比例の問題。

㋐の式は $x + y = 25$

㋑の式は $1000 - x = y$

5

(1) 16.8cm^2　(2) 125.6cm^3

解説 面積と体積の問題。

(2) $(3 \times 3 \times 3.14 - 1 \times 1 \times 3.14) \times 5$

$= 125.6$

6

(1) 2.2　(2) 8.5　(3) 8.45　(4) 8.4

解説 代表値の問題。(平均値)＝(合計)÷(個数)

中央値は，データを並べたときの真ん中の値で，データが偶数の場合は中央にある 2 つの値の平均を取る。

社会　実力テスト

1

(1) エ　(2) イ　(3) 地産地消《ちさんちしょう》

(4) 中京《ちゅうきょう》工業地帯　(5) 貿易収支《しゅうし》：貿易赤字　輸出額と輸入額の差：20 兆 3,296 億円

解説 (1) アは日本の北のはし，イは日本の南のはし，ウは日本の東のはし。

(2) アは酪農《らくのう》，ウは園芸農業，エは抑制栽培《よくせいさいばい》について述べたもの。(5) 輸出額よりも輸入額のほうが多いため，貿易収支は貿易赤字。その金額は 118 兆 5,032 億 − 98 兆 1,736 億 ＝ 20 兆 3,296 億(円)となる。

2

(1) ア　(2) ウ　(3) ウ

(4) イ・ウ　(5) イ

解説 (1) イは紫式部《むらさきしきぶ》，ウは源義経《みなもとのよしつね》，エは徳川家光《とくがわいえみつ》が行ったこと。(2) アは室町《むろまち》幕府をほろぼした人物，イは西南戦争の中心人物，エは鎌倉《かまくら》幕府を開いた人物。(3) 本《もと》居宣長《おりのりなが》は『古事記伝《こじきでん》』を書いた国学者で，近松門左衛門《ちかまつもんざえもん》は歌舞伎《かぶき》や人形浄瑠璃《にんぎょうじょうるり》の脚本《きゃくほん》を書いた人物。また，『解体新書《かいたいしんしょ》』は杉田玄白《すぎたげんぱく》らが翻訳《ほんやく》した医学書で，「東海道《とうかいどう》五十三次《ごじゅうさんつぎ》」は歌川広重《うたがわひろしげ》がえがいた作品。(5) 沖縄や小笠原諸島《おがさわらしょとう》は，独立後もアメリカの支配下に置かれた。

3

(1) 平和主義　(2) イ　(3)（日本国）憲法

(4) ノーマライゼーション

解説 (2) アとエは国会の仕事，ウは国民の義務。(3) 日本国憲法《にほんこくけんぽう》は，日本の中で最も強い効力《こうりょく》をもつ法なので，日本国憲法に違反《いはん》する政治や法律《ほうりつ》などは認《みと》められない。

理科　実力テスト

1

(1) A…筋肉　B…関節　(2) 消化　(3) イ

(4) はいた空気

解説 人の体に関する問題。(3) 小腸で吸収された養分は肝臓に運ばれ，その一部が肝臓にたくわえられる。血液を全身に送り出すのは心臓，血液中の不要物をこしとるのは腎臓。

2

(1) 20g　(2) 食塩　(3) イ，エ

解説 ものの溶け方と水溶液の問題。

(1) 120 − 100 ＝ 20(g)。(3) 青色のリトマス紙を赤色に変化させるのは，酸性の水溶液。食塩水は中性，うすいアンモニア水と重そう水はアルカリ性。

3

(1) イ　(2) イ　(3) ア　(4) ア

解説 電流のはたらき・磁石と電磁石に関する問題。(2) 金属には電気を通す性質がある。(3) 乾電池 2 個を直列につなぐと，回路に流れる電流は乾電池 1 個をつないだときよりも大きくなる。(4) 電磁石の強さは，コイルの巻き数やコイルに流れる電流の大きさ，鉄心の有無によって変化する。

4

(1) 運搬　(2) 上流　(3) ア→ウ→イ　(4) 地層

解説 大地の変化に関する問題。(2) 川の上流は水の流れが速いため，侵食のはたらきが大きい。(4) 地層は，流れる水のはたらきによって運ばれた小石や砂などのつぶや，火山灰などが重なってできている。

国語　実力テスト

1

(1) 経験　(2) 批判

(3) 郵便局　(4) 疑念

(5) 量　(6) 務

(7) 悩　(8) 退　(9) 借

解説

(1)～(4)は熟語，(5)と(6)は同じ読みの漢字の使い分け，(7)～(9)は訓読みの漢字の出題。

2

(1) A しょうたい　B 干（す）
　C うやま（い）　D 歴史

(2) 頭を下げたりこしを曲げたり

(3) 青く晴れた空の色

(4) イ　(5) ア　(6) 二・三（完答）

解説 (2) 日本人の挨拶《あいさつ》は，第一段落で「頭を下げたりこしを曲げたりしながら，『こんにちは』『いらっしゃい』と言って相手を出迎《でむか》えます」と説明されている。

(3) 指示語の内容を前の部分から探す。モンゴルの人たちは，「広い草原で」「一年中見て生活する」ので，「青く晴れた空の色」を「特別な色」だと思っていることがわかる。

(4) 同じ段落で，「悪魔《あくま》の舌は黒い色をしている」という言い伝えがあり，「チベットの人たちは自分の舌が黒くないことを相手に見せて自分が悪魔ではないことを示す」と書かれている。

(5) ［　　　］の前では，チベットの舌を出す挨拶が「日本の子どもがする『アカンベー』にそっくり」だと書かれていて，後ろでは「相手をバカにしてからかっているわけではありません」と説明されている。前後で反対の意味になっているので，アの「でも」を選ぶ。

(6) 第一段落は日本の挨拶について，第四段落は世界の挨拶を知ることについての筆者の考えが述べられている。

DAY 1

1-1　英単語の復習①　▶ p.008

1

(1) コ　(2) ケ　(3) エ
(4) カ　(5) ア　(6) サ
(7) ク　(8) オ　(9) シ
(10) ウ　(11) イ　(12) キ

2

(1) ウ　(2) オ　(3) エ
(4) ア　(5) イ　(6) ク
(7) カ　(8) キ

3

basketball

解説 わたしはバスケットボールが好きです。baseball の意味は「野球」。

1-1　英単語の復習②　▶ p.010

1

(1) キ　(2) エ　(3) サ
(4) イ　(5) ウ　(6) コ
(7) オ　(8) ク　(9) ケ
(10) シ　(11) ア　(12) カ

2

(1) オ　(2) ア　(3) イ
(4) エ　(5) ウ　(6) ク
(7) カ　(8) キ

3

bicycle

解説 あなたの自転車はどこにありますか。car の意味は「自動車」。

1-1　英単語の復習③　▶ p.012

1

(1) カ　(2) ケ　(3) イ
(4) ア　(5) ウ　(6) ク
(7) コ　(8) シ　(9) サ
(10) エ　(11) オ　(12) キ

2

(1) ク　(2) イ　(3) キ
(4) オ　(5) エ　(6) ア
(7) カ　(8) ウ

3

happy

解説 かの女は幸せです。sad の意味は「悲しい」。

1-2　整数のたし算・ひき算・かけ算 ▶ p.014

1

(1) 531　(2) 1151　(3) 684
(4) 89　(5) 30　(6) 29　(7) 304
(8) 2835　(9) 1742　(10) 7200
(11) 17670　(12) 121401

解説 (1)～(4) 位をそろえて筆算をする。くり上がりやくり下がりに注意。
(5)，(6) かっこがあるときは，かっこの中を先に計算する。
(7)～(12) かけ算も位をそろえて筆算をする。くり上がりを忘れないように。

1-2　整数のわり算　▶ p.015

1

(1) 21　(2) 17　(3) 235
(4) 164 あまり 2　(5) 3 あまり 2　(6) 9
(7) 2　(8) 38 あまり 9
(9) 3 あまり 88　(10) 11 あまり 300

解説 (6)

$$\begin{array}{r} 9 \\ 9\not{0}\,\overline{)\,81\not{0}} \\ 81 \\ \hline 0 \end{array}$$

0 を 1 つずつ消して計算する。

(8) 22 を 20 とみてかりの商をたてる。商が大きすぎたときは，1 ずつ小さくしていく。

1-3　小数のたし算・ひき算・かけ算 ▶ p.016

1

(1) 10.2　(2) 1.9　(3) 22.1　(4) 1.1

(5) 3.351　(6) 8.9　(7) 20　(8) 38.159
(9) 8.64　(10) 0.09　(11) 36.1　(12) 0.272

解説 (1)〜(8) 小数点の位置をそろえて筆算をする。(9)〜(12) 積の小数点は，かけられる数とかける数の小数点の右にあるけた数の和にそろえてうつ。

1-3　小数のわり算 ▶ p.017

1

(1) 50　(2) 1.4　(3) 6　(4) 0.8　(5) 1.25
(6) 0.325

解説 わる数が整数になるように，わる数とわられる数の小数点を同じけた数だけ右へ移す。

2

(1) 0.6 あまり 0.5　(2) 2.2 あまり 0.04
(3) 1.3 あまり 0.01　(4) 0.6 あまり 0.16

解説 あまりの小数点は，もとのわられる数の小数点の位置にそろえてうつ。

3

(1) 5.6　(2) 0.1

解説 $\frac{1}{100}$ の位を四捨五入して答える。

1-4　約数・倍数 ▶ p.018

1

(1) 1，2，4，8　(2) 1，2，3，4，6，12
(3) 1，7　(4) 1，11
(5) 1，2，3，6，9，18
(6) 3，6，9　(7) 8，16，24
(8) 11，22，33，44

解説 (1) 8 は，1，2，4，8 でわりきれる。
(6) 3 の倍数は，3 × 1，3 × 2，3 × 3，…となる。

1-4　公約数と約分・公倍数と通分 ▶ p.019

1

(1) 1，2，3，6 → 6
(2) 1，2，4 → 4

2

(1) 12，24，36 → 12
(2) 18，36，54 → 18

解説 (1) 3 と 4 の公倍数 12，24，36，…のうち，一番小さい数は 12。

3

(1) $\frac{1}{3}$　(2) $\frac{3}{4}$　(3) $\frac{3}{4}$　(4) $\frac{4}{5}$

4

(1) $\frac{4}{12}$，$\frac{3}{12}$　(2) $\frac{2}{4}$，$\frac{5}{4}$　(3) $\frac{10}{15}$，$\frac{3}{15}$
(4) $\frac{6}{12}$，$\frac{4}{12}$，$\frac{9}{12}$

1-5　分数のたし算・ひき算 ▶ p.020

1

(1) $\frac{5}{7}$　(2) $\frac{1}{5}$　(3) $\frac{17}{21}$　(4) $\frac{11}{15}$
(5) $\frac{17}{12}$ $\left(もしくは 1\frac{5}{12}\right)$　(6) $\frac{4}{7}$　(7) $\frac{2}{3}$
(8) $\frac{1}{2}$　(9) $\frac{5}{6}$　(10) $\frac{13}{18}$

解説 分母が異なるときは通分して計算し，答えが約分できるときは約分する。
(9) $\frac{7}{10}+\frac{2}{15}=\frac{21}{30}+\frac{4}{30}=\frac{25}{30}=\frac{5}{6}$

2

(1) $\frac{13}{10}$　(2) 1

1-5　分数のかけ算・わり算 ▶ p.021

1

(1) $\frac{4}{5}$　(2) $\frac{1}{7}$　(3) $\frac{3}{28}$　(4) $\frac{1}{6}$　(5) $\frac{1}{4}$
(6) $\frac{2}{3}$　(7) $\frac{1}{9}$　(8) $\frac{40}{3}$ $\left(もしくは 13\frac{1}{3}\right)$
(9) $\frac{3}{14}$　(10) 2　(11) $\frac{6}{7}$　(12) $\frac{5}{27}$

解説 (4) $\frac{7}{4}\div\frac{21}{2}=\frac{\overset{1}{\cancel{7}}}{\underset{2}{\cancel{4}}}\times\frac{\overset{1}{\cancel{2}}}{\underset{3}{\cancel{21}}}=\frac{1}{6}$
(11) $\frac{5}{8}\div\frac{7}{3}\div\frac{5}{16}=\frac{\overset{1}{\cancel{5}}}{\underset{1}{\cancel{8}}}\times\frac{3}{7}\times\frac{\overset{2}{\cancel{16}}}{\underset{1}{\cancel{5}}}=\frac{6}{7}$

1-6　いろいろな計算の順序 ▶ p.022

1

(1) 24　(2) 88　(3) 13.36　(4) $\frac{7}{26}$

解説 (3) $2.7 \times 5 - 1.4 \times 0.1 = 13.5 - 0.14$
$= 13.36$

2

(1) 2118　(2) 3.6　(3) 260　(4) 5

解説 (1) たして 1000 になるまとまりを考える。

(2) 0.4×2.5 を先に計算する。

(4) $\left(\frac{5}{6}+\frac{5}{9}\right) \div \frac{5}{18} = \left(\frac{5}{6}+\frac{5}{9}\right) \times \frac{18}{5}$
$= \frac{\cancel{5}^{1}}{\cancel{6}_{1}} \times \frac{\cancel{18}^{3}}{\cancel{5}_{1}} + \frac{\cancel{5}^{1}}{\cancel{9}_{1}} \times \frac{\cancel{18}^{2}}{\cancel{5}_{1}} = 3 + 2 = 5$

1-6　分数と小数の混ざった計算 ▶ p.023

1

(1) $\frac{43}{30}$　$\left(\text{もしくは}\ 1\frac{13}{30}\right)$

(2) $\frac{11}{90}$

(3) $\frac{1}{40}$　（もしくは 0.025）

(4) $\frac{22}{15}$　$\left(\text{もしくは}\ 1\frac{7}{15}\right)$

(5) $\frac{3}{5}$　(6) 2　(7) $\frac{23}{24}$

(8) $\frac{25}{3}$　$\left(\text{もしくは}\ 8\frac{1}{3}\right)$

解説 (6) 小数を分数に直すと，$\left(\frac{3}{5}+2\right) \div 1.3 = \left(\frac{6}{10}+\frac{20}{10}\right) \div \frac{13}{10} = \frac{26}{10} \div \frac{13}{10} = \frac{\cancel{26}^{2}}{\cancel{10}_{1}} \times \frac{\cancel{10}^{1}}{\cancel{13}_{1}} = 2$

分数を小数に直すと，$\left(\frac{3}{5}+2\right) \div 1.3 =$
$(0.6 + 2) \div 1.3 = 2.6 \div 1.3 = 2$

1-7　重さ・液量（かさ）▶ p.024

1

(1) 12000　(2) 3.2　(3) 1500　(4) 2000
(5) 60　(6) 20　(7) 7　(8) 5.1

解説

重さの単位	かさの単位
1g = 1000mg	1L = 1000mL
1kg = 1000g	1L = 10dL
1t = 1000kg	1kL = 1000L

2

(1) 25g　(2) 840g　(3) 65kg　(4) 33t
(5) 70L　(6) 9L

1-7　長さ・面積・体積 ▶ p.025

1

(1) 300　(2) 4100　(3) 6　(4) 50000
(5) 80　(6) 0.3　(7) 10000　(8) 3.9

解説

長さの単位	面積の単位
1cm = 10mm	$1\text{m}^2 = 10000\text{cm}^2$
1m = 100cm	$1\text{a} = 100\text{m}^2$
1km = 1000m	1ha = 100a
	$1\text{km}^2 = 100\text{ha}$

体積の単位
$1\text{m}^3 = 100\text{cm} \times 100\text{cm} \times 100\text{cm} = 1000000\text{cm}^3$

2

(1) 120mm　(2) 50000cm　(3) 2.5a
(4) 2.5ha　(5) 2.5km^2　(6) 2000000cm^3

テスト1 ▶ p.026

1

(1) 600　(2) 38　(3) 18.51　(4) 3.3
(5) 47736　(6) 24.153　(7) 32　(8) 8.4
(9) 36　(10) 6

解説 (9) $5 \times 8.2 - 1.5 \div 0.3 = 41 - 5 = 36$　(10) $(3.75 + 6.25) \times 0.6 = 10 \times 0.6 = 6$

2

(1) 12　(2) 36

解説 (1) 48 と 60 の公約数 1，2，3，4，6，12 のうち，一番大きい数は 12。
(2) 12 と 18 の公倍数 36，72，108，…のうち，一番小さい数は 36。

3

(1) $\frac{17}{12}$ $\left(\text{もしくは}1\frac{5}{12}\right)$ (2) $\frac{3}{4}$

(3) $\frac{11}{18}$ (4) $\frac{4}{5}$ (5) $\frac{1}{6}$ (6) $\frac{1}{8}$ (7) $\frac{7}{8}$

(8) $\frac{19}{12}$ $\left(\text{もしくは}1\frac{7}{12}\right)$ (9) 1 (10) 18

解説 (9)，(10)は，くふうすると計算が簡単になる。

(9) $\left(\frac{2}{3}-\frac{1}{2}\right)\times 6=\frac{2}{3}\times 6-\frac{1}{2}\times 6=4-3=1$

(10) $3.7\div\frac{5}{9}+6.3\div\frac{5}{9}=(3.7+6.3)\div\frac{5}{9}=10\times\frac{9}{5}=18$

4

(1) 3400 (2) 0.5 (3) 3 (4) 1000000

DAY 2

2-1 単位量あたりの大きさ ▶ p.028

1

330km

解説 $11\times 30=330$（km）

2

(1) 0.4L (2) 0.45L (3) A

解説 1L あたりの金魚の数で比べても，

A…$14\div 5.6=2.5$（ひき）

B…$10\div 4.5=2.22$…（ひき）

で，A のほうが混んでいるといえる。

3

(1) 200 人 (2) 210 人 (3) 206 人

解説 (3) $(28000+44100)\div(140+210)=72100\div 350=206$（人）

2-1 平均 ▶ p.029

1

289g

解説 $(290+272+305+280+298)\div 5=1445\div 5=289$（g）

2

3.5 人

解説 $(4+5+6+0+4+2)\div 6=3.5$（人）

欠席者が 0 人の日も日数に数える。平均では，人数が小数になることがある。

3

(1) 83.3 点 (2) 100 点

解説 (1) 1 回から 9 回までの合計点は，$82\times 3+84\times 6=750$（点） (2) 10 回の平均が 85 点になるためには，10 回の合計が $85\times 10=850$（点）にならなくてはいけない。9 回目までの合計点が 750 点だったので，10 回目は $850-750=100$（点）

2-2 速さ・時間・距離① ▶ p.030

1

(1) 時速 60km (2) 秒速 2m (3) 秒速 600m (4) 分速 400m (5) 時速 48km

解説 (3) 108000m を 180 秒で飛ぶので，$108000\div 180=600$ (5) 50 分は $\frac{50}{60}$ 時間です。$40\div\frac{50}{60}=40\times\frac{60}{50}=48$

2

(1) 分速 1km (2) 秒速 25m

(3) 時速 10.8km

2-2 速さ・時間・距離② ▶ p.031

1

(1) 140km (2) 1250m (3) 360m

(4) 45km

解説 (3) 5 分 = 300 秒 $1.2\times 300=360$（m）

2

(1) 5 時間 (2) 2 時間 (3) 5 分 (4) 4.5 秒

解説 (2) 分速 0.7km = 分速 700m = 時速 42000m = 時速 42km。$84\div 42=2$

2-3　割合①　▶ p.032

1

(1) 0.8　(2) 1.25

解説 (1) もとにする量は，女子の人数の 40 人，比べる量は，男子の人数の 32 人。32 ÷ 40 ＝ 0.8

2

0.6

3

9 人

解説 もとにする量は 36 人，割合は 0.25 です。36 × 0.25 ＝ 9（人）

4

72 人

解説 割合が 1 より大きいと，定員オーバーになる。

5

2.4L

解説 飲んだ量は，3 × 0.2 ＝ 0.6（L）なので，残りは 3 － 0.6 ＝ 2.4（L）

残りの割合が 1 － 0.2 ＝ 0.8 なので，3 × 0.8 ＝ 2.4（L）と求めることもできる。

2-3　割合②　▶ p.033

1

1400 円

解説 はじめに持っていたお金□円の 0.4 倍が 560 円なので，□ × 0.4 ＝ 560

□は，560 ÷ 0.4 で求める。

2

4m

解説 もとの長さ□ m の 0.15 倍が 0.6m です。□ × 0.15 ＝ 0.6　□ ＝ 0.6 ÷ 0.15 ＝ 4

3

36 人

解説 27 ÷ 0.75 ＝ 36（人）

4

450 人

解説 108 ÷ 0.24 ＝ 450（人）

2-3　百分率と歩合　▶ p.034

1

(1) 8%　(2) 40%　(3) 105%　(4) 70.1%

2

(1) 0.03　(2) 0.62　(3) 1.1　(4) 0.025

(5) 0.58　(6) 0.446

3

(1) 50　(2) 24　(3) 200　(4) 60

解説 (1) 3 ÷ 6 ＝ 0.5 → 50%　(2) 60 × 0.4 ＝ 24（kg）　(3) □ × 0.02 ＝ 4　□ ＝ 4 ÷ 0.02 ＝ 200　(4) □ × 1.5 ＝ 90　□ ＝ 90 ÷ 1.5 ＝ 60

2-4　比　▶ p.035

1

(1) 3：7　(2) 2：3

2

(1) 1：4　(2) 4：3　(3) 2：5　(4) 2：3

解説 ○：△の両方に同じ数をかけたり，両方の数を同じ数でわったりして，比を簡単にする。

(4) $\frac{1}{3}:\frac{1}{2}=\left(\frac{1}{3}\times 6\right):\left(\frac{1}{2}\times 6\right)$
＝ 2：3

3

(1) $\frac{2}{3}$　(2) $\frac{3}{4}$

4

(1) 15　(2) 9

解説 (1) 5：3 ＝ x：9（× 3，× 3）

(2) 11：3 ＝ 33：x（× 3，× 3）

2-4　比例 ▶ p.036

1

(1) 5倍　(2) 6倍　(3) 6　(4) $y = 6 \times x$
(5) 72

解説 (1) x の値が5倍になっているから，y の値も5倍になる。(2) 表をたてに見ると，$1 \times 6 = 6$，$2 \times 6 = 12$，$3 \times 6 = 18$，…のように，重さはいつも長さの6倍。(3) 表を横に見ると，x が1ずつ増えているのに対し，y は6ずつ増えている。(5) $y = 6 \times x$ の x に12をあてはめると，$y = 6 \times 12 = 72$

2

(1) (あ)　12　(い)　15　(2) $y = 3 \times x$
(3) ウ

解説 (3) グラフが0を通り，表の x と y の値の組がグラフの直線上にあるのはウ。

2-4　反比例 ▶ p.037

1

(1) $\frac{1}{3}$倍　(2) 4倍になる　(3) 24
(4) $y = 24 \div x$

解説 (1) y の値は12から4に $\frac{1}{3}$ 倍になる。(3) x と y の積24は，長方形の面積 24cm^2 を表す。

2

(1) $y = 12 \div x$
(2) ア

解説 (2) 表の x と y の値の組の表す点をなめらかな線で結ぶと，アのグラフになる。

2-5　並び方 ▶ p.038

1

(1) 6通り
(2) 24通り

解説 (1) 右の6通り。

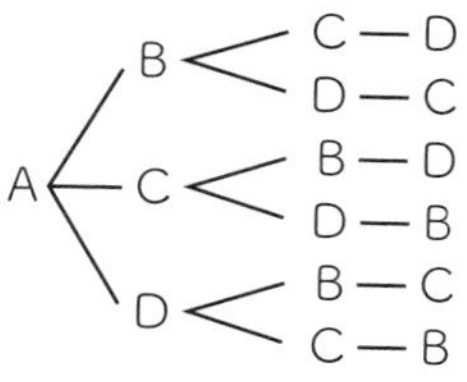

(2) B，C，Dが最初に走るときもそれぞれ6通りずつあるので，全部で $6 \times 4 = 24$（通り）

2

(1) 6通り　(2) 2通り

解説 (2) 全部で6通りのうち，偶数になるのは，一の位が4となる174，714の2通り。

3

(1) 4通り　(2) 8通り

解説 (1) 右の4通り。
(2) 1回目が裏であった場合も4通りある。

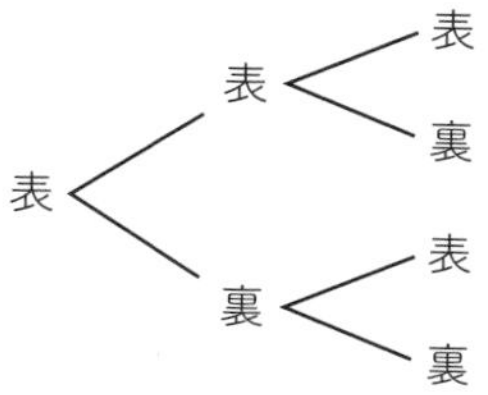

2-5　組み合わせ ▶ p.039

1

6通り

解説 順序よく，落ちや重なりがないように数える。(A，B)，(A，C)，(A，D)，(B，C)，(B，D)，(C，D)

2

6通り

解説 AとBの対戦は，BとAの対戦と同じであることに注意。

3

10通り

解説（い，み)，（い，り)，（い，バ)，（い，メ)，（み，り)，（み，バ)，（み，メ)，（り，バ)，（り，メ)，（バ，メ）の10通りの組み合わせ。

4

10通り

解説 3本を選ぶ組み合わせの数は，選ばない2本の組み合わせの数と同じなので，**3** と同じように数えて10通り。

2-6　線対称・点対称 ▶ p.040

1

(1)点E　(2)辺CB　(3)Dの角

2

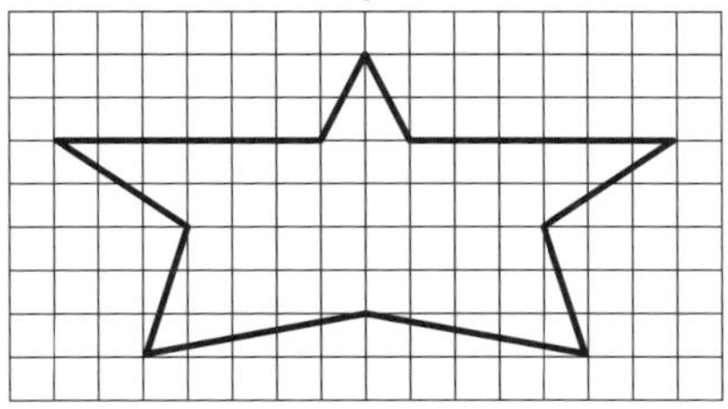

3

(1)点D　(2)160度　(3)

解説(2)(3) 点対称な図形では，対応する角の大きさは等しくなる。また，対応する点を結ぶ直線は，対称の中心を通ることから中心Oをみつける。

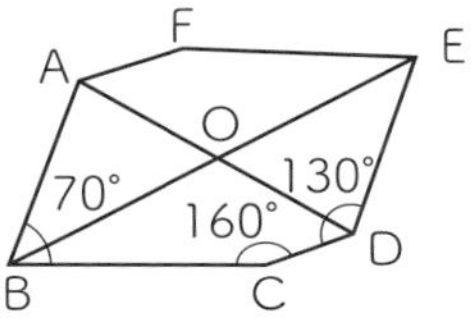

2-7　拡大図・縮図 ▶ p.041

1

(1)㋓　(2)㋕　(3)㋖

2

(1)40度　(2)

解説(2) 2つの辺の長さが3cmと2cmで，その間の角が40°の三角形をかく。

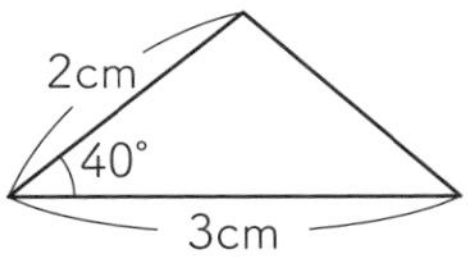

テスト2 ▶ p.042

1

(1)2.6dL　(2)時速75km　(3)4.2km
(4)52g　(5)850円　(6)6：5　(7)12
(8)10通り

解説(3) 1時間30分 = 1.5時間なので，2.8 × 1.5 = 4.2（km）

(5) 2割引きで買ったので，定価の8割で買ったことになる。680 ÷ 0.8 = 850(円)

(6) $\frac{4}{5}:\frac{2}{3}=\frac{12}{15}:\frac{10}{15}=12:10=6:5$

(7) 63：84 = 9：x　84 ÷ 7 = 12
（÷7）（÷7）

2

(1)2倍，3倍，…になる。(2)$y = 55 \times x$

解説(2) yの値はいつもxの値の55倍になっている。比例の関係を表す式　y =（きまった数）× xのきまった数は，55

3

㋐ ○　㋑ ◎　㋒ △　㋓ ○　㋔ ◎

4

(1)4.5cm　(2)77度

解説(1) 三角形(い)は，三角形(あ)の6 ÷ 4 = 1.5（倍）の拡大図。
(2) Aの角に対応するDの角の大きさは，180° −（58° + 45°）= 77°

DAY 3

3-1　三角形とその面積 ▶ p.044

1

(1)10cm^2　(2)18cm^2　(3)6m^2　(4)11cm^2

解説 三角形の面積 = 底辺 × 高さ ÷ 2で求める。(2)の底辺は6cm，高さも6cm。(3)は，単位に気をつける。ここではmが基準になっている。

2

12cm^2

解説 大きい三角形の面積から白い三角形の面積をひいて求める。8 × 6 ÷ 2 − 8 × 3 ÷ 2 = 24 − 12 = 12（cm^2）

3

(1)4cm　(2)8m

解説(2) 底辺を□mとすると，□ × 7 ÷ 2 = 28　□ × 7 = 56　□ = 8（m）

3-1　四角形とその面積 ▶ p.045

1

(1) 22cm^2　(2) 64cm^2　(3) 20cm^2

(4) 2.2cm^2　(5) 35cm^2　(6) 49cm^2

解説 (1), (2) 台形の面積＝（上底＋下底）×高さ ÷ 2

(3), (4) 平行四辺形の面積 = 底辺 × 高さ

(4)は底辺を1cmとみたとき，高さが2.2cm。

(5), (6) ひし形の面積 = 対角線 × 対角線 ÷ 2　(6)の 2 本の対角線の長さは，14cm と 7cm。

2

(1) 5.5cm　(2) 50m^2

解説 (2) 正方形を 2 本の対角線が 10m と 10m のひし形とみて，10 × 10 ÷ 2 = 50（m^2）

3-1　多角形といろいろな面積 ▶ p.046

1

(1) ㋐ 60 度　㋑ 120 度

(2) 正三角形

2

(1) 18m^2　(2) 13cm^2　(3) 15cm^2　(4) 15cm^2

解説 (2) 三角形と台形の面積をそれぞれ求めて，和を計算する。6 × 1 ÷ 2 +（6 + 4）× 2 ÷ 2 = 13（cm^2）

(4) 対角線をひくと，底辺が 5cm で高さが 3cm の三角形が 2 つできる。

3

66m^2

解説 道をはしによせて考えると，求める道をのぞいた部分は，底辺が 11m，高さが 6m の平行四辺形になる。

3-1　三角形の角 ▶ p.047

1

(1) 80 度　(2) 70 度　(3) 130 度

(4) 115 度

解説 (4) 右の図で，㋔の角は，180° −（50° + 65°）= 65° になるので，㋓の角は，180° − 65° = 115°

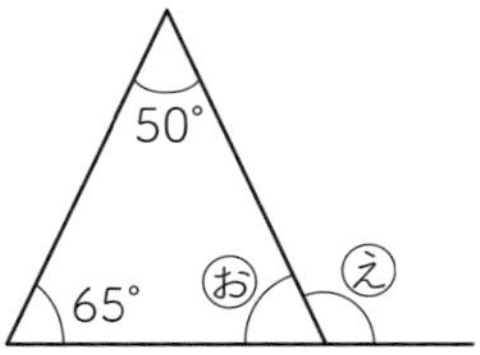

2

(1) 75 度　(2) 55 度

3

(1) 5 つ　(2) 900 度

解説 この図形は七角形。(2) 七角形は 1 つの頂点からひいた対角線で 5 つの三角形に分けられるので，180° × 5 = 900°

3-1　円と円周 ▶ p.048

1

(1) 31.4cm　(2) 9.42cm　(3) 62.8m

2

(1) 20.56cm　(2) 3.57cm　(3) 31.4cm

解説 (1) 4 × 2 × 3.14 ÷ 2 + 4 × 2 = 20.56（cm）

(2) 1 × 2 × 3.14 ÷ 4 + 1 × 2 = 3.57（cm）

(3) 5 × 3.14 ÷ 2 × 2 + 5 × 2 × 3.14 ÷ 2 = 31.4（cm）

3-1　円の面積 ▶ p.049

1

(1) 28.26cm^2　(2) 12.56cm^2　(3) 25.12cm^2

(4) 12.56cm^2

2

(1) 84.78cm^2　(2) 78.5cm^2　(3) 13.76cm^2

(4) 31.4cm^2

解説 (1) 大きい円の面積から小さい円の面積をひく。計算のきまりを使って，6 × 6 × 3.14 − 3 × 3 × 3.14 =（36 − 9）× 3.14 = 27 × 3.14 = 84.78（cm^2）と計算すると，計算が簡単になる。

(2) 大きい半円の半径は 10cm，小さい円の半径は 5cm

(3) 円の半径は 4cm　(4) 大きい半円の半径は 7cm，中の大きい半円の半径は 5cm，小さい半円の半径は 2cm

3-1　立方体と直方体とその体積・容積 ▶ p.050

1

(1) $30cm^3$　(2) $27cm^3$

解説 (1) 3 × 5 × 2 ＝ 30（cm^3）

(2) 3 × 3 × 3 ＝ 27（cm^3）

2

$21cm^3$

解説 右の図のように，2 つの直方体(あ)と(い)に分けて，(あ)＋(い)で体積を求める。(う)＋(え)，(お)－(か)で求めることもできる。

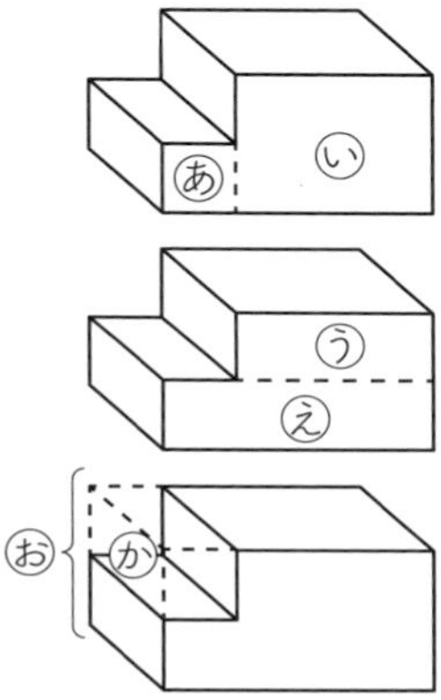

3

(1) $20000cm^3$　(2) 20L

解説 (2) 1L ＝ $1000cm^3$

4

9cm

解説 できる直方体の体積は，6 × 6 × 6 ＝ 216（cm^3）

3-1　角柱・円柱の体積 ▶ p.051

1

(1) $120cm^3$　(2) $80cm^3$　(3) $60cm^3$

(4) $50.24cm^3$

解説 (3) 底面積は，(4 ＋ 6) × 3 ÷ 2 ＝ 15（cm^2）

2

$6280cm^3$

解説 展開図を組み立てると，底面が半径 10cm の円で，高さが 20cm の円柱ができる。

3-2　度数分布 ▶ p.052

1

(1) 72 人　(2) 10 人　(3) 5.5 時間

(4) 3 時間以上 4 時間未満

解説 (1) 6 ＋ 14 ＋ 16 ＋ 22 ＋ 10 ＋ 4 ＝ 72（人）

(3) 5 時間以上 6 時間未満の階級値はその真ん中の値の 5.5 時間。

2

(1) 5　(2) 次の図

解説 (1) 28 －（1 ＋ 2 ＋ 16 ＋ 4）＝ 5(人)

(2) たての軸の 1 目もりは 1 人。

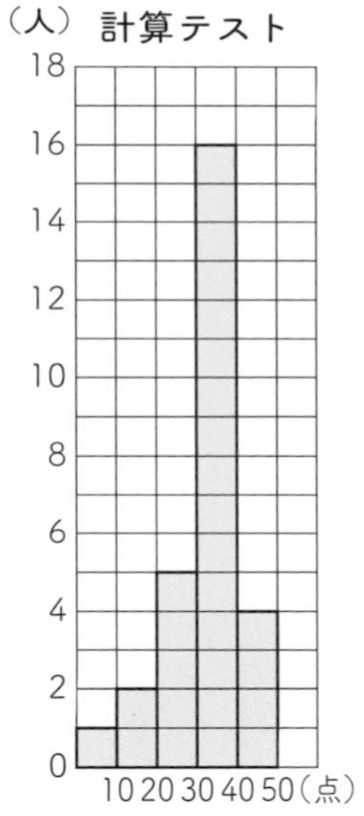

3-2　代表値（平均値・中央値・最頻値） ▶ p.053

1

(1) 次の図　(2) 14 分　(3) 8.6 分　(4) 9 分

(5) 8 分　(6) 次の図

解説 (3) (2 × 2 ＋ 3 ＋ 4 ＋ 5 ＋ 6 × 2 ＋ 7 ＋ 8 × 4 ＋ 9 × 3 ＋ 10 × 2 ＋ 11 × 2

＋ 12 × 3 ＋ 13 ＋ 14 ＋ 16）÷ 25 ＝ 215 ÷ 25 ＝ 8.6（分）

⑷ 大きさの順に並べたとき，中央の値，13 人目の値が中央値になる。

⑸ 度数がいちばん多いのは 4 人で，8 分の人。

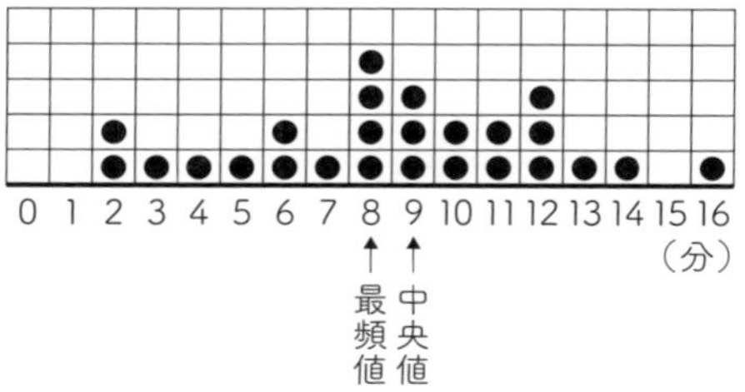

テスト3 ▶ p.054

1

⑴ 88cm^2　⑵ 38.5cm^2

2

18.1cm^2

解説 2 つの三角形と台形の面積の和を求める。

3

⑴ 70 度　⑵ 55 度

4

⑴ まわりの長さ…31.4cm，
　面積…78.5cm^2

⑵ まわりの長さ…7.14cm，面積…3.14cm^2

5

⑴ 960cm^3　⑵ 126cm^3　⑶ 7850cm^3
⑷ 144cm^3

解説 ⑶ 単位をそろえてから計算する。1m ＝ 100cm，5 × 5 × 3.14 × 100 ＝ 7850（cm^3）

6

⑴ 25 人　⑵ 8cm 以上 10cm 未満
⑶ 7cm　⑷ 7cm

解説 ⑴ 3 ＋ 5 ＋ 7 ＋ 6 ＋ 4 ＝ 25（人）

⑶ 25 人の中央の値は，大きい方から数えて 13 人目の値。6cm 以上 8cm 未満の階級値で答える。

⑷ 最頻値も階級値で答える。

DAY 4

4-1 日本の国土 ▶ p.056

1

(1) 180（度） (2) 赤道《せきどう》 (3) ユーラシア（大《たい》陸《りく》） (4) 領土《りょうど》

解説 (1) 経度《けいど》はイギリスの旧グリニッジ天文台から東西に 180 度ずつあり，旧グリニッジ天文台から東の経度は東経《とうけい》〇度，西の経度は西経《せいけい》〇度という。(2) 赤道から北の緯《い》度《ど》は北緯《ほくい》〇度，南の緯度は南緯《なんい》〇度という。

2

(1) ウ (2) イ (3) イ (4) エ (5) エ

解説 (2) 竹島《たけしま》は韓国《かんこく》が占領しているが日本固有《こゆう》の領土であると，日本政府《せいふ》は主張している。

(3) 山地《さんち》は丘陵地《きゅうりょうち》をふくめると国土《こくど》の 72.8％を占《し》める。

(4), (5) 冬の季節風《きせつふう》は，日本海《にほんかい》の方から水分を多くふくんだ空気を運ぶため，日本海側では雪が多くなる。日本海側で雪として水分を落とすため，太平洋《たいへいよう》側での季節風はかわいている。

4-1 農業 ▶ p.058

1

(1) 水田《すいでん》 (2) 高原《こうげん》（野菜《やさい》） (3) 酪農《らくのう》
(4) 地産地消《ちさんちしょう》

解説 (1) 水田ではなく畑《はたけ》で栽培《さいばい》する稲《いね》もある。

2

(1) 熊本県《くまもとけん》 (2) 北海道《ほっかいどう》 (3) 青森県《あおもりけん》
(4) 抑制《よくせい》（栽培《さいばい》） (5) 促成《そくせい》（栽培）
(6) 食料自給《しょくりょうじきゅう》（率《りつ》）

4-1 工業・貿易 ▶ p.060

1

(1) 持続可能《じぞくかのう》な（社会《しゃかい》）
(2)（例） 地熱《ちねつ》（発電《はつでん》）
(3) 中京《ちゅうきょう》（工業地帯《こうぎょうちたい》） (4) 太平洋《たいへいよう》ベルト

解説 (1) 持続可能な社会とは，資源《しげん》を未来まで持続して使用することが可能な社会。

(2) 再生《さいせい》可能エネルギーを利用した発電としては，ほかに「バイオマス発電」や「水《すい》力《りょく》発電」などもある。

2

(1) ウ (2) ウ (3) イ

解説 (1) B はイのアメリカ合衆国《がっしゅうこく》，C はエのオーストラリア，D はアの韓国。

(2) B はアの石油《せきゆ》，C は液化ガス（イの液化天然ガスや液化石油ガス），D はエの医薬品。

(3) B はアの自動車，C はエの鉄鋼《てっこう》，D はウのプラスチック。

4-2 日本の歴史のはじまり～平安時代 ▶ p.062

1

(1) 縄文《じょうもん》（時代） (2) 石包丁《いしぼうちょう》 (3) 古墳《こふん》
(4) 遣隋使《けんずいし》 (5) 大化《たいか》の改新《かいしん》

解説 (1) 縄文土器《どき》という呼び名は，土器に縄の文様（模様《もよう》）が付いているためである。このような土器が使われていた時代なので縄文時代という。

(2) 石包丁は包丁のような形をした石器。

(3)「墳《ふん》」は，土を盛《も》り上げた墓という意味の字。

(4) 隋に派遣《はけん》した使節《しせつ》という意味。

(5)「大化」という時代に行われた，国を新しく改める動きということ。

2

(1) 租《そ》 (2) 遣唐使《けんとうし》 (3) 藤原氏《ふじわらし》
(4) 源氏物語《げんじものがたり》 (5) 平清盛《たいらのきよもり》

解説 (1) 租・調《ちょう》・庸《よう》という，奈良《なら》時代の代表的な 3 つの税《ぜい》のうちの 1 つ。なお，「租」の部首である禾《のぎへん》には稲《いね》の意味がある。

(5) 藤原氏のように，むすめを天皇《てんのう》のきさきにするなどして大きな力を持った。

4-2　鎌倉時代／室町時代 ▶ p.064

1

(1) 壇ノ浦《だんのうら》の戦《たたか》い　(2) 源頼朝《みなもとのよりとも》

(3) 奉公《ほうこう》　(4) 御成敗式目《ごせいばいしきもく》　(5) 元寇《げんこう》

解説 (4)「成敗」とは裁判《さいばん》，「式目」とは決まりという意味。

(5)「元《げん》」はそのときの中国《ちゅうごく》の名前だが，モンゴルに支配されていた。

2

(1) 足利義満《あしかがよしみつ》　(2) 足利義政《あしかがよしまさ》　(3) 書院造《しょいんづくり》

(4) 雪舟《せっしゅう》　(5) 能《のう》　(6) 枯山水《かれさんすい》

解説 (3) たたみがしきつめられ，障子などが使われている。

4-2　安土桃山時代／江戸時代① ▶ p.066

1

(1) ア　(2) イ　(3) ウ　(4) エ

解説 (1) 織田信長《おだのぶなが》は第 15 代将軍足利義昭《しょうぐんあしかがよしあき》を京都から追放して幕府《ばくふ》をほろぼした。

(2) 織田信長は 3000 丁もの鉄砲《てっぽう》を使って武田氏《たけだし》に勝った。

2

(1) 関ヶ原《せきがはら》の戦《たたか》い　(2) 徳川家康《とくがわいえやす》

(3) 参勤交代《さんきんこうたい》　(4) 外様《とざま》　(5) 鎖国《さこく》

(6) 蝦夷地《えぞち》

解説 (3) 参勤交代は，第 3 代将軍徳川家光《とくがわいえみつ》によって武家諸法度《ぶけしょはっと》の中に定められて制度化された。

(4) 親藩《しんぱん》は徳川家の親戚《しんせき》の大名《だいみょう》。譜代《ふだい》は関ヶ原の戦いより前から徳川家の家来だった大名。外様は関ヶ原の戦いの後に徳川家の家来になった大名。

(5) 鎖国されるまでは朱印状《しゅいんじょう》を持った船によって貿易が行われた。1639 年にポルトガル船の来航が禁止されたが，鎖国中でも中国，オランダのほか，朝鮮《ちょうせん》や琉球《りゅうきゅう》との交流があった。

(6) 松前藩《まつまえはん》はアイヌとの交易《こうえき》が許され，蝦《え》夷錦《ぞにしき》という着物や水産物などを取り引きしていた。

4-2　江戸時代② ▶ p.068

1

(1) 歌川広重《うたがわひろしげ》　(2) 寺子屋《てらこや》　(3) 蘭学《らんがく》

(4) 伊能忠敬《いのうただたか》

解説 (2) 藩《はん》が武士《ぶし》の子どもたち向けにつくった教育機関は藩校《はんこう》という。

(3) 蘭学《らんがく》の「蘭《らん》」はオランダのこと。鎖国中に交流していた西洋の国はオランダだけだった。

2

(1) 解体新書《かいたいしんしょ》　(2) 本居宣長《もとおりのりなが》

(3) 大塩平八郎《おおしおへいはちろう》　(4) 浦賀《うらが》

(5) 日米和親条約《にちべいわしんじょうやく》

(6) 日米修好通商条約《にちべいしゅうこうつうしょうじょうやく》

解説 (2) 国学《こくがく》とは日本の古典を通じて，日本古来の考え方を研究する学問のことで，『古事記伝《こじきでん》』は国学の書物の 1 つ。

(6) 日米修好通商条約でアメリカ合衆国《がっしゅうこく》との貿易《ぼうえき》が始まるとともに，イギリスなどほかの国とも同じような条約を結んだ。これらの条約では，輸入《ゆにゅう》品への関税《かんぜい》を決める権利（関税自主権《かんぜいじしゅけん》）が日本になかったり，日本国内で罪をおかした外国人を裁《さば》くのはその外国人の国の権利（領事裁判権《りょうじさいばんけん》）だったりした。

4-2　明治時代① ▶ p.070

1

(1)（例）1868 年に明治天皇《めいじてんのう》が定めた政治の方針《ほうしん》

(2)（例）藩《はん》を廃止《はいし》し，県と府《ふ》を置いたこと

(3)（例） これまで米で納《おさ》めていた税を，現金で納めるようにしたこと

(4)（例） 経済を発展させ，軍隊《ぐんたい》を強くすることを目指した考え

解説(1) 五箇条《ごかじょう》の御誓文《ごせいもん》が出されたのは，江戸《えど》幕府が政権《せいけん》を朝廷《ちょうてい》に返した翌《よく》年のこと。政治は話し合いで決めることなどが定められている。

(3) ほかに地租改正《ちそかいせい》で行われたものとしては，収穫高《しゅうかくだか》に応じて納めていたところを，土地の価格の 3 % を納めることになったこともあげられる。

(4) 富国強兵《ふこくきょうへい》の考えにもとづいて富岡製糸場《とみおかせいしじょう》をつくったり，徴兵《ちょうへい》制を始めたりした。

2

(1) 国会《こっかい》 (2) 伊藤博文《いとうひろぶみ》 (3) 大日本帝国憲法《だいにっぽんていこくけんぽう》

(4)（例） 一定額以上の納税《のうぜい》

(5) 領事裁判（権） (6) 日清戦争《にっしんせんそう》

解説(1) 政府は国会を開くことを 1881 年に約束し，1890 年に初の選挙《せんきょ》が行われて国会が開かれた。

(3) 大日本帝国憲法は明治憲法《めいじけんぽう》ともいわれる。

(4) 1890 年の選挙のときは，選挙権を持つには 15 円以上の税金を納める必要があった。ほかに，「男性」であることや「25 歳《さい》以上」であることが条件だった。

(5) 領事裁判権の廃止は外務大臣《がいむだいじん》の陸奥宗《むつむね》光《みつ》によって実現した。

(6) 日清戦争は朝鮮《ちょうせん》をめぐって起きたものだが，戦争の相手は清《しん》（中国）。

4-2 明治時代②／大正時代／昭和時代① ▶ p.072

1

(1) 日露戦争《にちろせんそう》 (2) 韓国併合《かんこくへいごう》

(3) 第一次世界大戦《だいいちじせかいたいせん》 (4) 全国水平社《ぜんこくすいへいしゃ》

解説(4) 大正時代には，平塚《ひらつか》らいてう《ちょう》などが女性の権利をうったえて新婦人協会《しんふじんきょうかい》をつくるなどの動きもあった。

2

(1) 日中戦争《にっちゅうせんそう》 (2) ドイツ

(3) 1941（年） (4) 疎開《そかい》

(5) 1945（年）8（月）9（日）

(6) 1945（年）8（月）15（日）

解説(1) 日中戦争は，とちゅうからは第二《だいに》次世界大戦《じせかいたいせん》の一部として続けられた。

(3) 太平洋戦争《たいへいようせんそう》は第二次世界大戦の一部として始まった。

(6) 日本が降伏《こうふく》したことで第二次世界大戦が終わった。

4-2 昭和時代② ▶ p.074

1

(1) 戦後改革《せんごかいかく》 (2) 農地改革《のうちかいかく》

(3) 日本国憲法《にほんこくけんぽう》 (4) 1951（年）

解説(1) 日本国憲法がつくられたのも戦後改革の 1 つ。

2

(1) 朝鮮戦争《ちょうせんせんそう》 (2)（例） 国際連合《こくさいれんごう》

(3) 東海道新幹線《とうかいどうしんかんせん》 (4) 高度経済成長《こうどけいざいせいちょう》

(5) 高速道路《こうそくどうろ》 (6) 沖縄《おきなわ》

解説(2) 国際連合を略した「国連《こくれん》」でもよい。

4-3 政治 ▶ p.076

1

(1) 平和主義《へいわしゅぎ》 (2) 基本的人権《きほんてきじんけん》

(3) 国民《こくみん》 (4)（例） 法律《ほうりつ》の公布《こうふ》

解説(2) 基本的人権には，言論《げんろん》の自由《じゆう》，教育を受ける権利，参政権《さんせいけん》などがある。日本国憲法の 3 つの原則の 1 つに基本的人権の尊重《そんちょう》があり，さまざまな基本的人権が保障《ほしょう》されている。

(3) 日本国憲法の 3 つの原則の 1 つに国民《こくみん》主権《しゅけん》がある。

(4) ほかの解答としては「衆議院《しゅうぎいん》の解散《かいさん》」や

「内閣総理大臣《ないかくそうりだいじん》の任命《にんめい》」などがある。ただし，天皇が自分の判断でこのような仕事をすることはない。

2

(1)（例）納税《のうぜい》の義務《ぎむ》　(2) 国会

(3) 内閣《ないかく》　(4) 裁判所《さいばんしょ》　(5) 情報公開制度《じょうほうこうかいせいど》

(6) ノーマライゼーション

解説 (1) 解答は「税金を払う義務」などでもよい。

テスト4 ▶ p.078

1

(1) 90（度）　(2) 南鳥島《みなみとりしま》　(3) 食料自給《しょくりょうじきゅう》（率《りつ》）

(4) 持続可能《じぞくかのう》な（社会）

解説 (1) 緯度は赤道から南北に 90 度ずつ。

2

(1) 基本的人権の尊重　(2) 法律

3

(1) 隋《ずい》　(2) 藤原氏　(3) 足利義満《あしかがよしみつ》

(4) 参勤交代《さんきんこうたい》　(5) 日米修好通商条約

(6) 日清戦争　(7) 日中戦争　(8) 1964（年）

DAY 5

5-1　昆虫《こんちゅう》・生き物と自然 ▶ p.080

1

(1) ア…頭部《とうぶ》　イ…胸部《きょうぶ》　ウ…腹部《ふくぶ》

(2) イ　(3) 6　(4) ア　(5) ウ

(6) ア　(7) 幼虫…ア　成虫…ウ

解説 (1) 順に，あたま，むね，はらでもよい。

(4) ムカデやダンゴムシは，あしが 6 本より多い。

(6) カブトムシは幼虫，ナナホシテントウは成虫で冬を越《こ》す。

2

(1) A…ウ　B…ア　(2) イ　(3) ウ

解説 (2) 食べる・食べられるの関係は，植物から始まる。

5-1　植物のつくりとはたらき ▶ p.082

1

(1) ア…おしべ　イ…めしべ　ウ…がく

(2) イ　(3) ア

解説 (2) A（おしべ）があるのは雄花《おばな》。

(3) トウモロコシやマツなども，雄花と雌《め》花《ばな》がさく。

2

(1) ウ　(2)（適当な）温度　(3) イ

(4) 受粉　(5) ウ　(6) デンプン

(7) ア　(8) イ　(9) ア

解説 (2) 空気，水，適当な温度の 3 つがそろっていると，種子が発芽する。

(4) 受粉によって，実や種子ができる。

(5) 二酸化炭素をとり入れるのは葉。

5-1　人の体・生き物の誕生 ▶ p.084

1

(1) 関節　(2) A…ア　B…ウ

(3) ウ→イ→ア→エ　(4) イ

(5) ア　(6) ウ

解説(5) イは肝臓《かんぞう》，ウは心臓のはたらき。

2

(1) 受精　(2)(ア→)イ→ウ→エ(→オ)

(3) へその緒《お》

解説(2) 10 日ほどで卵がかえる。

5-2　ものの性質 ▶ p.086

1

(1) A…イ　B…ア　(2) ウ

(3) イ　(4) 蒸発《じょうはつ》　(5) ア　(6) ウ

解説(3) 湯気《ゆげ》は細かい水のつぶの集まり。水蒸気《すいじょうき》は目に見えない。

(5), (6) ある量の水が氷に変わると，体積は大きくなるが，重さは変わらない。

2

(1) ア　(2) イ→ウ→ア　(3) ウ

解説(2) 加熱した部分に近いところから順にあたたまる。

(3) あたためられた水は上昇するので，下のほうを加熱すると全体が効率よくあたたまる。

5-2　ものの溶け方と水溶液 ▶ p.088

1

(1) 120 g　(2) イ　(3) ウ　(4) ア

(5) ウ

解説(1) 20 + 100 = 120

(3) 溶かすものを細かくくだくと，溶ける速さは速くなるが，溶ける量は変わらない。

(4) 食塩は水の温度が変わっても，溶ける量があまり変わらない。そのため，イの水溶液を冷やす方法よりも，アの水を蒸発させる方法のほうが，食塩をとり出すには適している。

(5) ろうとの先はビーカーの壁《かべ》につける。

2

(1) ウ　(2) ウ　(3) イ　(4) ア

解説(2) 水酸化ナトリウムは白い固体。

(3) 赤色リトマス紙を青色に変えるのはアルカリ性の水溶液。

5-2　ものの燃え方／光と音の性質 ▶ p.090

1

(1) A…イ　B…ア　(2) イ　(3) ウ

(4) ウ　(5) ア

解説(1) 二酸化炭素は空気の約 0.04％。

(4) あたためられた空気は上昇するので，缶《かん》の下のほうに穴をあけると空気が入りやすくなる。

2

(1) 南　(2) イ　(3) イ

解説(3) 光が当たっている部分の面積が最もせまいものが，最も早くこげる。

5-3　電気のはたらき・磁石と電磁石 ▶ p.092

1

(1) ウ　(2) イ　(3) イ　(4) イ

解説(1) 金属は電気を通す。

(3) 乾電池《かんでんち》を直列《ちょくれつ》につなぐと，回路に流れる電流が強くなる。並列《へいれつ》につなぐと，乾電池が長い時間使える。

(4) 発光ダイオードは豆電球よりも，使う電気の量が少ない。

2

(1) ア　(2) N　(3) ウ　(4) イ

(5) イ

解説(1) 磁石は鉄を引きつける。

(4) 電磁石の強さや向きは電流の強さや向きによって決まり，スイッチを切ると電磁石は磁石のはたらきを失う。

(5) コイルが回転することによって電流の流れ方が変わるように，一方のエナメル線は塗料《とりょう》を半分だけはがす。

5-3　ものの動き ▶ p.094

1

(1) A　(2) ア　(3) ウ

解説 (3) おもりの重さは振《ふ》り子《こ》の周期に関係しない。

2

(1) ア　(2) ウ　(3) 2

解説 (1) おもりの重さ×支点からの距離を比べる。左側は3×2＝6，右側は2×5＝10　値が大きい方のうでが下がる。

(2) 左側は3×2＝6だから，右側の距離を□として，1×□＝6　□＝6

(3) 左側は1×4＝4だから，右側のおもりを○個として，○×2＝4　○＝2

3

(1) イ　(2) ウ

解説 (2) 力点が支点から遠いほど，加える力は小さくなる。

5-4　天気と大地の変化 ▶ p.096

1

(1) ア　(2) ウ　(3) 西から東

解説 (2) 太陽が地面をあたためて，地面が空気をあたためるので，午後2時ごろに最高気温となる。

2

(1) ウ　(2) ア　(3) ウ→ア→イ

解説 (3) つぶの大きさは，大きい順に，小石，砂，どろ。大きい順に積もる。

3

(1) ウ　(2) 化石

解説 (2) 足跡《あしあと》や巣なども化石となる。

5-4　太陽・星・月 ▶ p.098

1

(1) 東から西　(2) 南　(3) イ　(4) ウ

解説 (4) 黒は光を吸収しやすい。

2

(1) ア　(2) 冬

解説 (1) 夏の大三角は，はくちょう座のデネブ，こと座のベガ，わし座のアルタイル。

3

(1) 西　(2) ウ　(3) イ　(4) イ

解説 (1) 三日月は夕方西の空に見える。

(2) 月の明るい側に太陽がある。

テスト5 ▶ p.100

1

(1) イ　(2) ウ　(3) デンプン

(4) 食物連鎖

解説 (1) 肝臓のはたらきには消化に関係するものもあるが，食べ物は通らない。

2

(1) 融点《ゆうてん》…0，沸点《ふってん》…100

(2) ウ

(3) 二酸化炭素　(4) 20

解説 (2) 赤色リトマス紙を青色に変えるのはアルカリ性。

(4) 20 ÷ 100 ＝ 0.2 より，20％

3

(1) イ　(2) 作用点　(3) ウ

解説 (3) 振り子の周期にかかわるのは振り子の長さ（支点からおもりの重心まで）。水が増えた分，重心が上のほうに移ったので，振り子の長さは短くなった。

4

(1) イ　(2) 南　(3) ア　(4) ウ

解説 (1) 地層《ちそう》は海や湖の底でできる。陸上で観察できる地層は，水中でできたものが持ち上がったもの。

(4) さそり座とはくちょう座は夏の星座，オリオン座は冬の星座。

DAY 6

6-1　漢字 ① ▶ p.127

1

(1) ク　(2) ト　(3) ス
(4) ア　(5) カ　(6) コ
(7) ツ　(8) エ　(9) イ
(10) チ　(11) サ　(12) テ
(13) ソ　(14) オ　(15) シ
(16) キ　(17) ケ　(18) セ
(19) タ　(20) ウ

2

(1) 延期　(2) 簡単　(3) 経験
(4) 貿易　(5) 疑問　(6) 服従
(7) 反射　(8) 故障　(9) 姿勢

3

(1) イ　(2) ア　(3) ウ
(4) ア　(5) ウ　(6) イ
(7) ウ　(8) ア

6-1　漢字 ② ▶ p.125

1

(1) エ　(2) コ　(3) カ
(4) ス　(5) タ　(6) ウ
(7) シ　(8) ク　(9) オ
(10) ト　(11) ツ　(12) セ
(13) サ　(14) テ　(15) チ
(16) イ　(17) ケ　(18) キ
(19) ソ　(20) ア

2

(1) 供給　(2) 保護　(3) 確認
(4) 武士　(5) 精密　(6) 宣言
(7) 操作　(8) 歴史　(9) 危険

3

(1) ア　(2) イ　(3) イ
(4) ウ　(5) ウ　(6) イ
(7) ア　(8) ウ

6-1　漢字 ③ ▶ p.123

1

(1) ソ　(2) シ　(3) タ
(4) エ　(5) テ　(6) コ
(7) セ　(8) カ　(9) ウ
(10) ツ　(11) ア　(12) オ
(13) ト　(14) キ　(15) ケ
(16) ス　(17) ク　(18) チ
(19) イ　(20) サ

2

(1) 貴重　(2) 許可　(3) 主張
(4) 磁石　(5) 対策　(6) 立候補
(7) 演奏　(8) 蒸発　(9) 金属

3

(1) ア　(2) エ　(3) イ
(4) ウ　(5) イ　(6) ア
(7) エ　(8) ウ　(9) イ
(10) エ　(11) ア　(12) ウ

6-1　漢字 ④ ▶ p.121

1

(1) キ　(2) タ　(3) エ
(4) セ　(5) ス　(6) ウ
(7) チ　(8) テ　(9) カ
(10) コ　(11) イ　(12) ソ
(13) ア　(14) サ　(15) ケ
(16) オ　(17) ト　(18) ツ
(19) ク　(20) シ

2

(1) 夢　(2) 飼　(3) 確
(4) 射　(5) 片　(6) 燃
(7) 額　(8) 効　(9) 妻

3

(1) イ　(2) ア　(3) イ
(4) イ　(5) ア　(6) ア
(7) ア　(8) イ

6-1　漢字⑤ ▶ p.119

1

(1) カ　(2) ス　(3) コ
(4) ト　(5) ウ　(6) キ
(7) チ　(8) セ　(9) エ
(10) サ　(11) ク　(12) タ
(13) イ　(14) ソ　(15) ツ
(16) ケ　(17) シ　(18) オ
(19) テ　(20) ア

2

(1) 胸　(2) 干　(3) 寄
(4) 慣　(5) 源　(6) 巻
(7) 裏　(8) 貸　(9) 机

3

(1) イ　(2) エ　(3) ア
(4) ウ　(5) ウ　(6) イ
(7) ウ　(8) ア　(9) エ
(10) ア　(11) エ　(12) イ

6-2　四字熟語・ことわざ・慣用句①
▶ p.117

1

(1) チ　(2) ト　(3) シ
(4) オ　(5) ケ　(6) ツ
(7) ウ　(8) セ　(9) ク
(10) ソ　(11) コ　(12) ア
(13) ス　(14) イ　(15) タ
(16) カ　(17) サ　(18) テ
(19) エ　(20) キ

2

(1) キ　(2) ア　(3) ケ
(4) オ　(5) イ　(6) コ
(7) ク　(8) エ　(9) ウ
(10) カ

3

(1) ウ　(2) ア　(3) ウ
(4) イ　(5) ア　(6) ウ
(7) ア　(8) イ

6-2　四字熟語・ことわざ・慣用句②
▶ p.115

1

(1) オ　(2) ト　(3) キ
(4) シ　(5) チ　(6) コ
(7) ク　(8) カ　(9) ソ
(10) イ　(11) ア　(12) ツ
(13) テ　(14) ケ　(15) サ
(16) セ　(17) タ　(18) ウ
(19) ス　(20) エ

2

(1) 千　(2) 五　(3) 一
(4) 八　(5) 二　(6) 七
(7) 十　(8) 四　(9) 三
(10) 万　(11) 百　(12) 一

3

(1) イ　(2) ア　(3) ウ
(4) ア　(5) ウ　(6) イ
(7) ア　(8) イ

テスト6 ▶ p.113

1

(1) ス　(2) コ　(3) オ
(4) ケ　(5) キ　(6) サ
(7) ア　(8) エ　(9) イ
(10) カ　(11) ク　(12) ウ
(13) シ　(14) セ

2

(1) 探検　(2) 伝授　(3) 混雑
(4) 吸収　(5) 朗読　(6) 看護

3

(1) ウ　(2) オ　(3) ケ
(4) ク　(5) ア　(6) エ
(7) キ　(8) イ　(9) カ

4

(1) オ　(2) ウ　(3) エ
(4) キ　(5) ア　(6) イ
(7) カ

5

(1) ウ　(2) カ　(3) イ

(4) キ　(5) オ　(6) ア

(7) エ

DAY 7

7-1　物語文の読み取り ①　▶ p.111

1

(1) イ　(2) A　ウ　　B　ア　　C　イ

(3) ウ　(4) ア

解説 (2)「はっとする」「そっと…する」は，場面を生き生きと伝えるために，登場人物の様子などを言葉でそれらしく表したもの。また，「ぽんと…たたく」は，登場人物の動作の音を，言葉で表している。これらの言葉を，擬声《ぎせい》語・擬態《ぎたい》語という。

(4)「だまって下を向いた」という動作と，その前の「…おこられるかもしれない」という部分から，ア「不安」が読み取れる。

2

(1)（知らない）おばあさん

(2) 知らない人と話をしてはいけない

(3) A　イ　　B　ウ　　C　ア

解説 (2) えりかが，両親から何と言われているかが書かれた部分をぬき出す。

(3) A～Cは，どれも「おばあさん」の表情。おばあさんの状況《じょうきょう》や，えりかとのやりとりを通しておばあさんの気持ちがどのように変化したかを読み取って考えよう。

7-1　物語文の読み取り ②　▶ p.109

1

(1)（放課後に）友達を家に呼んでいい日

(2) うるさかった

(3) A　三人　B　まことを呼ぶこと

(4) イ

解説 (4)「影」は「暗い」印象をあたえる表現。この場面では，その後の文章に「まことに何て言おうと考えると…暗くしずみこんでいった」と書いてある。つまり，たかしは,「これから起こること」について「暗い」気持ちになっているので，ア「後悔《こうかい》」ではなく，イ「ゆううつ」を選ぶ。

2

(1) 保健室に連れて行っていた

(2) ウ　(3) イ

解説 (2)「あたたかい日の光」は「明るい」印象をあたえる表現。この場面では，あきらが田中くんにあやまりに行こうとしているので，明るい結末として，ウ「和解」を選ぶ。

7-2　説明文の読み取り ①　▶ p.107

1

(1) いぐさ

(2) 木のゆかやカーペット

(3) ウ　(4) ア

解説 (2)「それら」は指示語なので，その内容は,前に書かれた部分から探す。「それら」は複数のものであり,「木のゆかやカーペット」を指す。

(3) □の前後の文章を読んで，適切な接続語を考える。「通気性にすぐれて」いるから「湿度《しつど》の高い日本の気候にとても適して」いるので，ウ「だから」を選ぶ。

2

(1) イ　(2) 運転者の不注意

(3) 信号のない

解説 (1) □の前後の文章を読むと,「車はその手前で止まらなければいけません」が「約 90 パーセントの車が止まらず」とある。前と後で反対の意味になっているので，イ「しかし」を選ぶ。

(3)「このルール」の「この」は指示語なので，前に書かれた部分から探す。第一段落に

「ルール」の内容が一文で書かれている。

7-2　説明文の読み取り②　▶ p.105

1

(1) 四　(2) ウ　(3) メチオノール
(4) こうばしい

解説 (1) 改行から改行までのひとまとまりを「段落」という。この文章は四つの段落に分かれている。
(2) 文章全体を通して，しょうゆの「何」について説明しているのかを考える。第二段落で「生ぐさいにおいを消してくれる」「くさるのをおくらせる効果」，第三段落で「食欲をそそる効果」とある。最後の段落では「このように，しょうゆにはさまざまな効果がある」とまとめているので，ウ「しょうゆの効果」を選ぶ。

2

(1)（古代ギリシャの）オリンピア地方
(2) 二　(3)（日本の）新聞記者

解説 (2) この文章は三つの段落に分かれている。第二段落の最後に「これが近代オリンピックの始まりです」と書かれている。

テスト7　▶ p.103

1

(1) A　イ　　B　ウ　　C　ア　(2) イ
(3) みんなの歌

解説 (1) Aは「きんちょう」しているのでイ「胸がドキドキした」，Bは「おどろいて」いるのでウ「目を丸くした」，Cは「にげ出したくなった」あとで「でも」と続くので，ア「ぐっとこらえた」を選ぶ。それぞれの慣用句や擬声《ぎせい》語・擬態《ぎたい》語が，どのような心情を表現しているかを考える。
(2)「目の前がすーっと暗くなっていく」とあるので，ア「期待」のような明るい心情ではないことに注意。また，すぐ後で「大川さんにはかなわない」と思ってにげ出したくなっているので，ウ「不満」ではなく，イ「絶望」を選ぶ。

2

(1) ウ　(2) イ
(3) 光を反射する鏡のような部分
(4) 三

解説 (2) 第一段落の最後に「夜の活動に適した体をもつようになりました」とあり，第二段落では，その具体例としてショウガラゴのことが書かれているので，イ「例えば」を選ぶ。
(3)「それ」は指示語なので，前に書かれた内容に注目する。「光を反射する鏡のような部分」を使って暗い場所でも物を見ることができるのである。
(4) この文章は，三つの段落に分かれている。第三段落に，「大きな耳」「超音波」「においをかぐ力」など，「視力以外の力」を発達させた動物について書かれている。